D1223801

# LIETUVIŲ KULTŪRINIS PAVELDAS AMERIKOJE

# LITHUANIAN CULTURAL LEGACY IN AMERICA

Leidėja: Amerikos Lietuvių Bendruomenės
Kultūros taryba

Atsakingasis redaktorius.............................. Algis Lukas

Redaktorė.......................................... Danutė Bindokienė

Fotografas ...................................................Algis Lukas

Dailininkas................................................ Vincas Lukas

Maketuotojas ir
spaudai parengė ......................................Paulius Mickus

Redakcinio kolektyvo nariai, prisidėję prie šio leidinio, nustatant jo apimtį ir gaires, parūpinant nuotraukas ir ruošiant įvairių skyrių aprašymus: Nida Dalmantaitė, Henry Gaidis, dr. Stasys Goštautas, dr. Ramūnas Kondratas, dr. Romualdas Kriaučiūnas, Jonas Kuprys, Rimas Mulokas, dr. Milda B. Richardson, Antanas Saulaitis, SJ, Jonas Tamulaitis, dr. Kęstutis Paulius Žygas.

Visos nuotraukos yra Algio Luko, išskyrus tos, kurių fotografai pažymėti.

Publisher: Lithuanian American Community Inc.,
Cultural Affairs Council

Managing Editor........................................... Algis Lukas

Editor................................................ Danutė Bindokienė

Photographer ................................................Algis Lukas

Art Editor.................................................. Vincas Lukas

Layout & Production Editor ........................Paul Mickus

The editorial staff who contributed to this publication by assisting in defining the scope, contributing photographs and preparing texts for the various sections of this book: Nida Dalmantaitė, Henry Gaidis, Dr. Stasys Goštautas, Dr. Ramūnas Kondratas, Dr. Romualdas Kriaučiūnas, Jonas Kuprys, Rimas Mulokas, dr. Milda B. Richardson, Antanas Saulaitis, SJ, Jonas Tamulaitis, Dr. Kęstutis Paulius Žygas.

All photographs by Algis Lukas except those whose photographers are noted.


15100 Interlachen Drive, Suite 526, Silver Spring, Maryland, 20906
www.lithuanian-american.org



ISBN-13: 978-0-615-26575-9

Printed in USA

# LIETUVIŲ KULTŪRINIS PAVELDAS AMERIKOJE

# LITHUANIAN CULTURAL LEGACY IN AMERICA

**Algis Lukas**
Atsakingasis Redaktorius | Managing Editor

Amerikos Lietuvių Bendruomenė, Kultūros taryba
Lithuanian American Community, Inc., Cultural Affairs Council

***Lietuvos vardo tūkstantmetis:***

*Lietuvių gentys gyveno Baltijos jūros pietrytiniame pakraštyje jau nuo priešistorinių laikų. Lietuviai ir jų gyvenamieji plotai, toli nuo Viduržemio jūros pakraščiuose klestėjusių kultūrų, buvo ilgai Europos istorijos nepastebėti. Tik 1009 metais Lietuvos vardas pirmą kartą paminėtas Vakarų pasaulio istorikų kronikose. Skiriame leidinį „Lietuvių kultūrinis paveldas Amerikoje" Lietuvos vardo tūkstantmečio sukakčiai paminėti.*

**Šios knygos leidimą parėmė:**

Amerikos Lietuvių Bendruomenė

Lietuvių fondas

Tautinių mažumų ir išeivijos departamentas, Prie Lietuvos Respublikos Vyriausybės

**Garbės Rėmėjai:**
*(paaukoję $1000 ar daugiau)*

Bačanskas, Jonas ir Rima

Blumenfeld, Sophie -Oželis

Paovienė, Veronika

**Rėmėjai:**
*(paaukoję $500 ar daugiau)*

Blekaitienė, Gražina
(Jurgio Blekaičio atminimui)

Dainauskas, John, R., MD

Dirvonis, Rimantas ir Danutė

Elskus, Ann (Albino Elskaus atminimui)

Kontrimas, Ričardas ir Raimonda

Kondratas, Ramūnas

Rasys, I.

Ratkelis, Algis ir Danguolė

Steele, Sally

Tomkus, Leonas ir Sigita

Urbonas, Ignas, prel.

Vaitkus, Rimantas ir Aldona

***Thousand years from first mention of Lithuania:***

*Lithuanian peoples from prehistoric times lived in the territory southeast of the Baltic Sea. Their nation and lands, far from the developing cultures of the Mediterranean region, for a very long time were unnoticed by the history of Europe. Only in 1009 was the name Lithuania first mentioned in the chronicles of the Western World. We dedicate the publication of "Lithuanian Cultural Legacy in America" to commemorate the 1000 year anniversary of the first mention of Lithuania in the chronicles of the Western World.*


**This publication was supported by:**

Lithuanian American Community, Inc.

Lithuanian Foundation, Inc.

Department of National Minorities and Lithuanians Living Abroad, Under the Government of the Republic of Lithuania.

**Honorary Sponsors:**
*(donated $1,000 or more)*

Bačanskas, John and Rima

Blumenfeld, Sophie-Oželis

Paovis Veronika

**Sponsors:**
*(donated $500 or more)*

Blekaitis, Gražina
(in memoriam of Jurgis Blekaitis)

Dainauskas, John, R., MD

Dirvonis, Rimantas and Danutė

Elskus, Ann
(in memoriam of Albinas Elskus)

Kontrimas, Richard and Raimonda

Kondratas, Ramūnas

Rasys, I.

Ratkelis, Algis and Danguolė

Steele, Sally

Tomkus, Leonas and Sigita

Urbonas, Ignas, Msgr.

Vaitkus, Rimantas and Aldona

# Turinys

Įvadas – *Algis Lukas* ..... 10

Lietuviai Amerikoje:
istorinė apžvalga – *dr. Ramūnas Kondratas* ..... 18

Lietuvos ambasada
Jungtinėse Amerikos Valstijose – *ambasadorius Audrius Brūzga* ..... 52

Lietuvių kultūros centrai – *Danutė Bindokienė* ..... 62

Pirmosios lietuvių bažnyčios Amerikoje – *Algis Lukas* ..... 84

Bažnyčios ir jų architektūra po 1950 m. – *Algis Lukas* ..... 110

Vienuolynai – *Antanas Saulaits, SJ* ..... 132

Jaunimo stovyklos – *dr. Romualdas Kriaučiūnas* ..... 152

Nekilnojamas menas – *Algis Lukas* ..... 164

Paminklai ir koplytstulpiai – *dr. Milda B. Richardson* ..... 180

Kapinės – *dr. Milda B. Richardson ir Algis Lukas* ..... 198

Rodyklės ir literatūros šaltiniai ..... 216

# Table of Contents

Introduction – *Algis Lukas* ........ 11

Lithuanians in America:
A Historical Overview – *Dr. Ramūnas Kondratas* ........ 29

The Lithuanian Embassy in the
United States of America – *Ambassador Audrius Bruzga* ........ 54

Lithuanian Cultural Centers – *Danutė Bindokienė* ........ 66

First Lithuanian Churches in America – *Algis Lukas* ........ 86

Churches and Their Architecture After 1950 – *Algis Lukas* ........ 112

Religious Houses – *Antanas Saulaitis, SJ* ........ 135

Youth Camps – *Dr. Romualdas Kriaučiūnas* ........ 154

Installed Art – *Algis Lukas* ........ 166

Monuments and Wayside Shrines – *Dr. Milda B. Richardson* ........ 182

Cemeteries – *Dr. Milda B. Richardson and Algis Lukas* ........ 201

Index and References ........ 219

# ĮVADAS

# INTRODUCTION

# Įvadas

*Algis Lukas*

Lietuviai imigrantai Amerikoj nuo XIX a. pabaigos būrėsi į savas bendruomenes, norėdami išlaikyti savo kalbą, papročius, tikėjimą ir kultūrą. Savo gyvenamose vietovėse lietuviai kūrė parapijas ir statė bažnyčias, vienuolynus, mokyklas, kultūros centrus, o amžinam poilsiui – kapines. Gausios lietuvių kapinės Amerikoje liudija, kiek daug mūsų tautiečių čia yra sulaukę savo paskutinės dienos. Jų atminimą pagerbti, kapai buvo puošiami paminklais ir kryžiais, primenančiais mūsų tėvynę, ypač jos liaudies meną. Lietuvių menininkų darbai puošia ne tik savo tautiečių namus bei bažnyčias, bet yra nemažai prisidėję ir prie šio krašto meninio palikimo.

Šiame albume pristatome geriausius išlikusius mūsų kultūros pavyzdžius. Norime atkreipti į juos dėmesį, įamžinti juos ir gal prisidėti prie jų išsaugojimo. Gaila, bet daug Amerikos lietuvių sukurtų vertybių jau yra apleidžiama ar uždaroma dėl besikeičiančių gyvenimo sąlygų.

Šis fotoalbumas skiriamas supažindinti su architektūriniu ir nekilnojamu lietuvių kultūriniu paveldu Amerikoje: kultūros centrais, bažnyčiomis, vienuolynais, jaunimo stovyklomis, paminklais, kapinėmis. Kitos kultūros šakos (literatūra, dailė, muzika, teatras, tautiniai šokiai, liaudies menas) yra aprašytos įvairuose kituose leidiniuose.

Ne viskas, kas buvo Amerikos lietuvių sukurta, yra įtraukta į šį albumą. Tai nėra enciklopedinis ar istorinis leidinys, atspindintis Amerikos lietuvių gyvenimą. Albumo tikslas yra supažindinti su žymesniais Amerikos lietuvių kultūrinio paveldo pavyzdžiais ir architektais bei menininkais, prisidėjusiais prie to kultūrinio paveldo kūrimo. Atrenkant bažnyčias ir kitus pastatus, ribotasi tik šiuo metu tebestovinčiais ar veikiančiais. Gal ne visi jie jau yra lietuvių rankose ir dabar tarnauja kitiems, tačiau jie priklauso lietuvių kultūriniam palikimui šiame krašte. Šiame albume taip pat supažindinama su kai kurių žymių lietuvių menininkų darbais, sukurtais plačiajai Amerikos visuomenei, liudijančiais lietuvių įnašą į bendrą Amerikos kultūrą.

Tikimės, kad skaitytojai, bevartydami šio fotoalbumo puslapius, susipažins su turtingu lietuvių kultūriniu paveldu Amerikoje. Norinčius plačiau susipažinti su Amerikos lietuvių istorija bei jų kultūriniu paveldu, kviečiame pasinaudoti albumo gale suminėtais literatūros šaltiniais.

# Introduction

*Algis Lukas*

Lithuanian immigrants to America, at the end of the nineteenth century, congregated into ethnic communities with the desire to preserve their language, traditions, religion, and culture. In their communities Lithuanians organized parishes, built churches, convents and monasteries, schools, cultural centers and for the deceased – cemeteries. The many cemeteries in America attest how many of our countrymen spent their last days here. To remember and commemorate them, the cemeteries are decorated with monuments and crosses reminiscent of their homeland and its folk traditions. Art created by the Lithuanian artists decorated not only Lithuanian cultural centers and churches, but also has contributed to the art heritage of this country.

In this photo-album are presented the best examples of our cultural legacy. We would like to draw attention to them, record them for posterity and perhaps contribute to their preservation. Unfortunately, much of what was built by the American-Lithuanians has been neglected or closed due to changing demographics.

This photo-album is intended to acquaint the reader with the architectural and installed Lithuanian cultural legacy in America: cultural centers, churches, monasteries and convents, youth camps, monuments, and cemeteries. The other fields of culture (literature, painting, music, theater, folk dancing, and folk art) are covered by many other publications.

Not everything that has been built or created by American-Lithuanians is included in this album. This is neither an encyclopedia nor a historical narrative of Lithuanian life in America. The objective of this publication is to acquaint the reader with the more significant Lithuanian cultural contribution and the architects and artists who participated in the creation of this legacy. Only those churches and buildings that are still in use or standing are included in this album. Perhaps not all still belong to the Lithuanian communities, but they all represent the Lithuanian cultural contribution in this country. This album also includes some works of art by distinguished Lithuanian artists, that were created for other communities which attest to the Lithuanian cultural contributions in America.

We hope that by paging through this album, the reader will become more acquainted with the rich Lithuanian cultural legacy in America. Those who wish to learn more about American-Lithuanian history and its culture are invited to refer to the bibliography in the reference section at the end of this album.

M. BLAUDŽIUNAS

M. BLAUDŽIUNAS

M. BLAUDŽIUNAS

Broad gatvės vaizdas ties New Yorko birža, kur buvo įsteigta pirmoji aukštesnioji Lotynų mokykla Naujame Amsterdame. Jos vedėjas buvo lietuvių kilmės didikas, Aleksandras Karolius Kursius.

View of Broad Street, next to the New York Stock Exchange, where the first Latin School in New Amsterdam was founded. Its first headmaster was a Lithuanian nobleman, Alexander Carolus Cursius.

*20 Broad Street, New York, New York*

Tadas Kosčiuška, 1746-1817, Lietuovs, Lenkijos ir Amerikos nepriklausomybės karų didvyris, laikė save lietuviu. Lenkų pastatytas paminklas, Amerikos sostinėje Vašingtone, Lafayette parke.

Thaddeus Kosciuszko, 1746-1817, a hero of wars of independence in Lithuania, Poland and America, called himself a Lithuanian. Monument built by Poles in the capitol of America, Washington, DC, Lafayette Park.

*Lafayette Park, Washington, DC*

Didysis Lietuvos kunigaikštis Vytautas, 1392-1430, Vytauto Kašubos skulptūra (2.74 metrų). Lietuvių išstatytas 1939 metų Pasaulinėje parodoje, New Yorke; dabar saugoma Lietuvių kultūros muziejuje, Putnam, Connecticut.

Grand Duke of Lithuania, Vytautas (Witold), 1392-1430, sculpture (9 feet) by Vytautas Kašuba. Erected by Lithuania at the 1939 World Fair in New York; currently at the Lithuanian Cultural Museum in Putnam, Connecticut.

*American-Lithuanian Cultural Archives, 37 Mary Crest Drive, Putnam, Connecticut*

Didysis Lietuvos kunigaikštis ir Lenkijos karalius Jogaila, 1386-1434, bronzos skulptūra; skulptorius Stanislaw Ostrowski. Lenkų pastatytas 1939 metų Pasaulinėje parodoje New Yorke; dabar New Yorko Central parke.

Grand Duke of Lithuania and King of Poland, Jagiello, 1386-1434, bronze sculpture by Stanislaw Ostrowski. Erected by Poles at the 1939 World Fair in New York; currently located in Central Park, New York.

*Central Park, New York, New York*

# LIETUVIAI AMERIKOJE: ISTORINĖ APŽVALGA

# LITHUANIANS IN AMERICA: A HISTORICAL OVERVIEW

# Lietuviai Amerikoje: istorinė apžvalga

*Ramūnas Kondratas*

Lietuva yra šalis, turinti apie 3.4 mln. gyventojų. Jos sienos vakaruose siekia Baltijos jūrą, šiaurėje Latviją, pietryčiuose Baltarusiją, pietvakariuose Lenkiją ir Rusijai priklausančią Kaliningrado sritį. Kadangi Lietuva yra Europos žemyno viduryje, ji tapo kryžkele tarp Rytų ir Vakarų civilizacijų. Jos turtinga istorija ir dažnai tragiška lemtis išjudino emigracijos bangas ir įtakojo jų dydį.

Lietuviai visuomet buvo stipriai prisirišę prie savo žemės. Pagarba gamtai buvo ryški jų senovės pagonių tikėjime – jie buvo paskutiniai pagonys Europoje – ir jų kalboje, kuri yra seniausia tebegyva Indoeuropiečių kalba pasaulyje. XIX a. pabaigoje pasireiškęs Tautinis atgimimas turėjo savo šaknis ir sėmėsi įkvėpimą iš Lietuvos kaimo. Jis atgaivino lietuvių kultūrą, kurią matome ir šiandien.

Rusijos okupacijos laikotarpiu XIX a. daug lietuvių paliko gimtąją šalį, bėgdami nuo karinės prievolės ir politinės priespaudos. Dėl slegiančių gyvenimo salygų tėvynėje kiti išvyko į užsienį ieškoti geresnio gyvenimo sau ir savo šeimoms.

Iki šiol didžiausias skaičius imigrantų iš Lietuvos atvyko į Ameriką. Nuo XIX a. vidurio pažymėtinos trys pagrindinės emigrantų bangos į Ameriką. Pirmoji, daugiausia dėl ekonominių priežasčių, atvyko tarp 1870 ir 1930 metų. Antroji, tarp 1940 ir 1950 metų, buvo daugiausia politiniai pabėgėliai, kuomet sovietai užėmė jų tėvynę. Trečioji banga pradėjo atvykti 1980-ojo dešimtmečio pabaigoje, kai Lietuva pradėjo atitrūkti nuo Sovietų Sąjungos ir atkurti savo nepriklausomybę. Bet šie emigrantai nebuvo pirmieji lietuviai, atvykę į Naująjį Pasaulį.

## Ankstyviausi naujakuriai

Pirmasis žinomas lietuvis Amerikos istorijoje buvo Alexander Carolus Curtius (kartais rašomas Cursius; sulietuvintai – Kuršius), didikas ir mokslininkas, turintis mokslo laipsnius iš medicinos, teisės ir teologijos. Greičiausiai jis buvo priverstas palikti Didžiąją Lietuvos Kunigaikštiją (tuo metu buvusią Lenkijos-Lietuvos unijos dalis) dėl Reformacijos sukelto sumišimo. Jis išvyko į Olandiją (dabar Nyderlandas) ir Amsterdame 1659 m. balandžio 10 d., pasirašė sutartį su Olandų bendrove (West India Company) būti pirmuoju rektoriumi bei mokytoju neseniai įkurtoje mokykloje (Latin School), esančioje Broad gatvėje, Naujajame Amsterdame (dabar New York). Miesto savivaldybė tikėjosi, kad ši aukštesnioji mokykla ilgainiui taps akademija arba universitetu.

West India bendrovės direktoriai savo laiške Naujojo Amsterdamo gubernatoriui Peter Stuyvesant apibūdino Curtių, kaip „buvusį profesorių iš Lietuvos" ir kad jis pasamdytas, sutinkant jam mokėti kasmetinę 500 florinų (guldenų) algą bei pragyvenimo išlaidas. Curtiaus darbo pradžia buvo labai sėkminga ir Stuyvesant pranešė, kad „kas dėl jo darbo ir pareigingumo, turime pripažinti, kad jo darbštumas yra nuostabus ir jaunuolių pažanga - stebėtina". Po dvejų metų Curtius pasitraukė iš darbo ir išplaukė atgal į Olandiją. Jis įstojo į Leiden universitetą, kur užsirašė kaip „Carolus Alexander Curtius Nobilis, Lithuanus I. V. D. et Medicinae candidatus", ir 1662 m. įsigijo medicinos daktaro laipsnį. Grįžęs į Lietuvą, mokytojavo vienoje, jo globėjo, Lietuvos didiko iš Biržų, Boguslavo Radvilos (1620-1669), įkurtoje mokykloje.

Paminklinė lenta, primenanti Curtiaus darbą, yra įmūrinta pastato sienoje, Broad gatvėje, netoli dabartinės New Yorko biržos (Stock Exchange), kur buvo įsteigta pirmoji New Yorko miesto aukštesnioji mokykla (Latin School).

XVII amžiuje kiti pavieniai emigrantai ar nedidelės jų grupės (nuotykių ieškotojai, amatininkai,ūkininkai ir religiniai disidentai) taip pat vyko iš Lietuvos į Naująjį Pasaulį, bet apie juos nedaug žinoma. Daugiau žinių yra apie tuos, kurie atvyko XVIII amžiaus pabaigoje dalyvauti Nepriklausomybės kovose, ypač apie Tadą Koščiušką (angl. Thaddeus Kosciuszko, lenk. Tadeusz Kosciuszko).

Koščiuška, karo inžinierius ir kovotojas už laisvę,

yra laikomas tautiniu didvyriu keliose valstybėse – Baltarusijoje, Lenkijoje ir Amerikoje. Jis gimė 1746 metais kaime, smulkaus didiko šeimoje, Didžiojoje Lietuvos Kunigaikštijoje, kuri tuo metu buvo susijungusi su Lenkija, ir mirė Šveicarijoje 1817 metais. Savo testamente jis aprašo savo kilmę „iš Lietuvos Lenkijoje", o savo pareiškimuose dažnai save tapatina su Lietuva.

Benjamin Franklin kvietimu, Kosčiuška atvyko į Ameriką kaip savanoris kovoti dėl Amerikos nepriklausomybės ir 1776 metais buvo priimtas į Kontinento kariuomenę (Continental Army) kaip inžinerijos pulkininkas. Tarp daugelio karinių įrengimų, jis suplanavo labai sėkmingus sutvirtinimus Bemis Heights (netoli Saratogos) bei West Point fortus (dabar Amerikos Karo akademija) ir buvo laikomas vienu geriausių inžinierių Amerikos karinėje tarnyboje. Jis tapo generolo George Washington (Jurgio Vašingtono) adjutantu ir geru Thomas Jefferson draugu. Už septynerių metų pavyzdingą tarnybą Amerikos Kongreso buvo pakeltas brigados generolu, jam suteikta Amerikos pilietybė, paskirta žemės ir didelė suma pinigų, kuriuos jis panaudojo, padėdamas juodiesiems vergams atgauti laisvę. Grįžęs į savo tėvynę, jis narsiai, bet nesėkmingai, kovojo prieš Rusijos kariuomenę, besistengiant išsaugoti Lenkijos-Lietuvos uniją ir įvesti demokratiją. Kosčiuškos vardu daug kur pasaulyje, įskaitant ir Ameriką, yra pavadintos vietovės.

1795 metais jungtinė Lenkijos-Lietuvos valstybė buvo sunaikinta, kai jos žemes pasidalino Rusija, Austrija ir Prūsija. Didžioji Lietuvos dalis atiteko Rusijos imperijai, o likusioji - Prūsijai. Nepriklausoma Lietuva, kadaise buvusi didžiausia valstybė Europoje, kurios žemės tęsėsi nuo Baltijos iki Juodosios jūros, dingo iš pasaulio žemėlapių iki Pirmojo pasaulinio karo. Tačiau lietuviai ir lenkai niekuomet neprarado vilties atgauti laisvę ir nepriklausomybę. Dukart XIX amžiuje, 1830-1831 ir 1863-1864 metais, jie sukilo prieš Rusijos imperiją. Šie sukilimai buvo žiauriai caro armijos numalšinti. Likusieji sukilėliai buvo kariami, vežami į Sibirą arba priversti trauktis į užsienį - daugiausia į Europą, nors kai kurie atvyko į Ameriką.

Keli šimtai lietuvių (kiek tai galima spręsti iš jų lietuviškų pavardžių) ir dar daugiau lenkų kovojo Amerikos Pilietiniame kare (1861-1865 m.), dauguma jų šiauriečių jungtinės kariuomenės (Union Army) gretose. Tarp jų buvo Alexander Bielaski (Bieliauskas?), statybos inžinierius, gimęs 1811 metais Didžiojoje Lietuvos Kunigaikštijoje. Po nepavykusio 1831 metų sukilimo jis pabėgo į Ameriką. Karo metu su Seminole indėnais Floridoje jis dirbo matininku, vėliau inžinierium Illinois valstijos centriniam geležinkeliui (Illinois Central Railroad); nuo 1845 metų braižytoju Žemių adminstracijos įstaigoje (Land Office) Vašingtone. Pakviestas savo draugo prezidento Abraham Lincoln (Abraomo Linkolno), su kuriuo buvo susipažinęs Springfield, Illinois, įstoti į šiauriečių jungtinę kariuomenę, jis tai padarė 1861 metų rugpjūtį. Kapitonas Bielaski didvyriškai žuvo, puolant pietiečių (Confederate) įtvirtinimus Belmont, Missouri, 1861 m. lapkričio 7 dieną.

Kapitonas Bielaski paliko septynis vaikus. Vienas jo sūnus, Oscar Bielaski (1847-1911), taip pat kariavo Amerikos pilietiniame kare ir po to žaidė beisbolą „Major" lygoje (1872-1876), o vienas vaikaitis, Alexander Bruce Bielaski (1884-1964), buvo antrasis Federalinio tyrimų biuro (Federal Bureau of Investigation) direktorius (1912-1919).

Kitas žymus XIX amžiaus sukilimo karininkas ir diplomatinis pasiuntinys Amerikoje buvo Henry Korwin Kalussowski (Henrikas Korvinas Kalušauskas), gimęs 1806 metais Lietuvoje, Kazimieravos dvare, Ukmergės-Utenos apskrityje. Jis studijavo teisę Vilniaus universitete (1823-1827) ir dalyvavo 1831 metų sukilime. Kai 1832 metais sukilimas buvo numalšintas, jis pabėgo į Prancūziją. 1838 metais Kalussowskis, kartu su žmona ir sūnumi Vytautu, atvyko į Ameriką ir po aštuonerių metų tapo piliečiu. Kalussowskis dirbo kartu su Alexandru Bielaskiu Žemių administracijos įstaigoje Vašingtone. Pilietinio karo metu jis buvo įtakingas, steigiant lietuvių-lenkų dalinius šiauriečių jungtinei kariuomenei. Kilus antrajam lietuvių-lenkų sukilimui Rusijoje 1864 metais, jis buvo lenkų sukilėlių tautinės vadovybės paskirtas oficialiu atstovu Amerikoje. Per savo įstaigą New Yorke jis dėjo pastangas suorganizuoti paramą Lietuvos bei Lenkijos nepriklausomybės atgavimui. Kalussowskis mirė Vašingtone 1894 metų gruodžio 23 dieną ir buvo palaidotas Rock Creek kapinėse.

## Pirmoji banga - 1860-1940

Didžioji lietuvių emigracija į Ameriką prasidėjo po 1861 m. baudžiavos panaikinimo Rusijos imperijoje, 1863-1864 metų sukilimo, 1860 metų sausrų ir bado, ir dar padidėjo po 1874 m., kai buvo paskelbtas įstatymas, kad caro kariuomenėje privaloma tarnauti 25 metus.

Kaip daugumas tų laikų Europos emigrantų, jie atvyko į Ameriką per New Yorko uostą. Tačiau ten darbų buvo mažai, todėl didelė jų dalis patraukė į Pennsylvaniją dirbti prie geležinkelių tiesimo bei anglių kasyklose. 1885 metais Pennsylvanijos anglių kasyklose dirbo apie 15,000 lietuvių. 1915 metais tas skaičius išaugo iki 80-90 tūkstančių. Lietuviai sukūrė gyvastingas apylinkes, statė bažnyčias, įsigijo smukles ir įvairius verslus, įsteigė tarpusavio paramos draugijas, orkestrus, chorus ir sporto komandas, net lietuvišką spaudą.

XIX amžiaus pabaigoje atgimė ne tik Lietuva, bet ir užsienyje gyvenantys lietuviai. Naujieji tautos vadai siekė įgyvendinti demokratijos principus, žemės reformą ir išsaugoti lietuvių tautinę kultūrą prieš rusinimą bei lenkinimą. Buvo ugdoma nauja tautinė savimonė.

Toks pat tautinis atgimimas pasireiškė tarp Amerikos lietuvių - jis yra pastebimas ankstyvose lietuvių bažnyčiose, organizacijose ir spaudoje. Pradžioje parapijos ir tarpusavio paramos draugijos buvo steigiamos kartu su lenkais, bet lietuvių tautiniam sąmoningumui stiprėjant, jie išsiskyrė ir kiekviena tautybė nuėjo savo keliu.

Leidimas steigti pirmąją lietuvių parapiją Amerikoje ir statyti bažnyčią Shenandoah mieste Pennsylvanijoj buvo gautas iš Philadelphijos arkivyskupo 1872 metais. Šv. Kazimiero bažnyčia buvo pastatyta 1874 metais, bet jai paskirtas lenkas klebonas sukėlė didelį lietuvių nepasitenkinimą. 1877 metais lietuviai įsteigė grynai lietuvišką Šv. Jurgio draugiją ir pastatė tuo vardu pavadintą naują bažnyčią, kuri buvo pašventinta 1894 metais.

Bažnyčių skaičius nuolat augo ne vien Pennsylvanijoje, bet taip pat Michigan, Maryland, Illinois, New York, New Jersey, Connecticut, Massachusetts ir Ohio valstijose. Iki XIX amžiaus pabaigos tose valstijose jau buvo apie 40 lietuvių parapijų. Iki 1940 m. lietuvių parapijų skaičius Amerikoje išaugo iki 120. Prie bažnyčių, arba šalia jų, buvo statomos lietuvių salės susirinkimams, kultūriniams renginiams, susibūrimams; taip pat buvo steigiamos mokyklos. 1936 metais lietuvių parapijos turėjo 48 parapijines mokyklas su apie 10,000 mokinių, neskaitant šeštadieninių ir sekmadieninių mokyklų. Amerikos lietuviai rinkosi bažnyčiose ir jų salėse pasiklausyti žinių iš tėvynės, liūdėjo dėl pasitaikančių nesėkmių ir rinko paramą Lietuvos laisvei bei nepriklausomybei išlaikyti. Jų širdyse tai buvo dalis jų tėvynės. Nepaisant stiprių asimiliacijos jėgų, tose bažnyčiose ir salėse buvo ugdomas lietuvių tautinis susipratimas.

Dar greičiau gausėjo įvairių draugijų ir organizacijų skaičius. Iki XIX amžiaus pabaigos jų jau buvo apie 500, o iki Pirmojo pasaulinio karo tas skaičius jau siekė maždaug 4,000. Tai buvo Amerikos lietuvių telkinių klestėjimo „aukso amžius". Kad jų visuomeninė, kultūrinė ir politinė veikla būtų dar sėkmingesnė, dauguma draugijų, ypač tarpusavio paramos ir religinių, pradėjo jungtis į plačias tautines sąjungas. Didžiausios broliškosios paramos organizacijos buvo Susivienijimas Lietuvių Amerikoje (SLA) ir Lietuvių Romos Katalikų Susivienijimas Amerikoje (LRKSA). Amerikos Lietuvių Romos Katalikų federacija buvo įsteigta 1906 metais Wilkes-Barre, Pennsylvanijoj, Pirmojo lietuvių katalikų kongreso metu. Tai federacija, apjungianti katalikų parapijas, organizacijas, spaudą, institucijas ir religines bendruomenes. Jos tikslas buvo derinti religinę, kultūrinę, tautinę veiklą ir palaikyti ryšį su tėvyne. Federacijos globos dėka, buvo įsteigtos kitos katalikų organizacijos, kaip Lietuvos Vyčiai, Amerikos Romos Katalikių moterų sąjunga (1914) ir Lietuvių darbininkų sąjunga (1915-1965), kuri 1915 metais pradėjo leisti „Darbininką"; 1950 metais perkeltą į Brooklyną, New Yorke, tėvų pranciškonų globon.

Lietuvos Vyčiai įsisteigė 1913 metais. Tai buvo tautinė jaunimo organizacija, kurios pagrindinis tikslas: išlaikyti lietuvišką kultūrą ir atgauti Lietuvai nepriklausomybę. Šiuo metu Lietuvos Vyčiai veikia kaip šeimyninė organizacija, kuri stengiasi savo nariams įdiegti meilę bei pagarbą lietuvių kalbai, papročiams, kultūrai ir taip pat pabrėžia katalikų tikėjimo svarbą. Dabar vyčiams priklauso apie 3,500 narių.

Pennsylvanijoj buvo įsiteigtos ne tik anksčiausios lietuvių bažnyčios ir organizacijos, bet ten buvo ir lietuviškos spaudos gimtinė Amerikoje. 1875 metais Shamokin miestelyje Mykolas Tvarauskas išspausdino pirmąją Amerikoje lietuvišką knygą. Tai buvo 165 puslapių anglų-lietuvių kalbos žodynas. Gaila, kad Tvarausko spaustuvėlė, kartu su didele dalimi žodyno laidos, sudegė. Tvarauskas persikėlė į Brooklyną ir 1879 metais pradėjo leisti pirmąjį Amerikos lietuvių laikraštį „Gazieta Lietuwiszka". Šis keturių puslapių savaitraštis išsilaikė tik metus. Tokio likimo susilaukė ir daugelis iš 225 laikraščių bei žurnalų, leistų Amerikoje lietuvių kalba tarp 1879 ir 1942 metų. Tačiau būta ir išimčių. Labiausiai tarp jų pasižymėjo katalikiškos krypties „Draugas", pradėtas leisti Wilkes-Barre, Pennsylvanijoj, 1909 metais, perkeltas Čikagon 1912 metais, tapęs dienraščiu 1916 metais, ir tebeleidžiamas šiuo metu. Tai seniausias, be sustojimo leidžiamas, lietuviškas laikraštis visame pasaulyje. Kiti žymūs laikraščiai buvo „Naujienos", leistos Čikagoje nuo 1914 iki 1988 metų, ir savaitraštis „Vienybė lietuvninkų", pradėtas spausdinti Plymouth, Pennsylanijoj, 1886 metais; perkeltas į Brooklyną, New Yorke, 1907 metais. Jo pavadinimas 1920 metais buvo sutrumpintas į „Vienybė" ir laikraštis leistas iki 1985 metų.

Lietuviška spauda Amerikoje atliko nepaprastai svarbų visuomeninį, kultūrinį ir politinį vaidmenį, informuodama ir šviesdama imigrantus, žadindama tautinės kultūros puoselėjimą, o Lietuvoje – palaikydama Tautinio atgimimo judėjimą per tūkstančius knygų ir laikraščių, slaptais keliais pasiekusių Lietuvą. Tarp 1875 ir 1904 metų apie 720 leidinių, sudarančių daugiau kaip pusę milijono vienetų, buvo išleista Amerikoje ir Tilžėje (Mažojoje Lietuvoje).

Nors Pennsylvanija buvo lietuvių Amerikoje lopšys, nemažai jų pasklido po kitas Amerikos vietoves. Ieškodami darbų ir geresnio gyvenimo, jie keliavo į Baltimorę dirbti siuvyklose; Naująją Angliją - dirbti tekstilės ir popieriaus fabrikuose; Detroitą - dirbti automobilių pramonėje; Pittsburghą ir Clevelandą - dirbti plieno liejyklose; Čikagą - dirbti skerdyklose ir fabrikuose. XX amžiaus pradžioje Čikaga pralenkė Shenandoah, kaip lietuvių sostinė Amerikoje. Tarp 1914 ir 1939 metų Čikagoje gyveno daugiau lietuvių negu Lietuvos sostinėje Vilniuje. Jų vargai, prisitaikant prie gyvenimo sąlygų naujoje šalyje, ir darbai skerdyklose yra vaizdžiai aprašyti Upton Sinclair romane „The Jungle" („Džiunglės", 1906).

Lietuviai pasklido į Amerikos rytus ir vakarus. 1852 metais, dar dešimtmečiu anksčiau prieš prasidėjusią emigraciją į Pennsylvaniją, lietuviai iš Šilutės (Suvalkų gubernijos, Mažosios Lietuvos), tuo metu Rytų Prūsijos, pradėjo atvykti į Texas valstiją per Galveston ir Indianola uostus. Tai buvo suvokietėję liuteronai ir dauguma jų įsikūrė DeWitt apskrityje, netoli Yorktown ir Meyersville miestelių. Kai kurie įsikūrė Goliad apskrityje. Jie vertėsi žemės ūkiu, kitais verslais ir palyginti greitai įsijungė į nemažą vietinę Amerikos vokiečių bendruomenę. Jų palikuonys tebegyvena tose vietovėse.

1848 metais Kalifornijos (California) valstijoje prasidėjęs aukso ieškojimo įkarštis netrukus pritraukė į šią valstiją apie 300,000 žmonių iš visos Amerikos ir užsienio. Tarp jų ir būrį nuotykių ieškotojų iš Lietuvos. Tai buvo daugiausia 1831 metų sukilimo dalyviai. Kiti lietuviai pradėjo atvykti į Ramiojo vandenyno šiaurės vakarų sritis XX amžiaus pradžioje dirbti kasyklose bei lentpjūvėse Idaho, Montana, Oregon ir Washington valstijose. Dauguma jų apsigyveno Washington valstijoje.

Daugumas pirmosios bangos imigrantų buvo eiliniai darbininkai ir ūkininkai, tačiau ilgainiui miestuose gausėjo jų įsigytų verslo įstaigų ir įmonių.

Pagal 1910 metų duomenis, vien Čikagoje buvo apie 500 lietuvių verslų, tarp kurių – 180 barų ir smuklių, 90 maisto parduotuvių ir 33 kirpyklos. Iki 1926 metų maisto parduotuvių ir mėsinių skaičius išaugo beveik iki 300.

Gausėjo ir lietuviai profesionalai. Kai kurie buvo neseniai atvykę į Ameriką, kiti jau gimę ir išsimokslinę šioje šalyje. Lietuvių 1916 metais surinktais duomenimis, buvo 40 lietuvių gydytojų, 10 advokatų, po 25 laikraščių leidėjų ir redaktorių, 120 kunigų, 30 bankininkų. Taip pat jau buvo apie 3,000 parduotuvių savininkų, 2,500 alinių savininkų ir 10,000 verslininkų bei įvairių kvalifikuotų darbininkų.

Sunku apskaičiuoti, kiek į Ameriką atvyko pirmosios bangos lietuvių imigrantų iki 1898 metų, nes jie buvo užrašomi rusais, jeigu atvykę iš Rusijos imperijos, vokiečiais, jei kilę iš Rytų Prūsijos, ir lenkais, jei pasisakė esą katalikai. Lietuvių tautybė Amerikoje pradėta žymėti nuo 1910 metų įvykusio gyventojų surašymo. Tad, pagal Amerikos imigracijos vadybos duomenis, tarp 1899 ir 1914 metų iš Lietuvos į Ameriką atvyko 252,594 asmenys (80.7 proc. buvo lietuviai, 13.4 proc. žydai, ir 6 proc. kitų tautybių). 1940 metais atliktas gyventojų surašymas rado 394,811 lietuvių, bet tikrasis skaičius buvo, be abejo, daug didesnis. Statistiką tyrinėjęs geografas Kazys Pakštas ir kunigas Simonas Draugelis, remdamiesi parapijų, organizacijų ir verslininkų suteiktais duomenimis ir taip pat iš asmeniškų apsilankymų daugelyje telkinių, teigia, kad tarp 1926-1930 metų Amerikoje gyveno tarp 650,000 ir 700,000 lietuvių. Didžioji jų dalis gyveno Illinois, Pennsylvanijos, Massachusetts ir New Yorko valstijose.

Pirmosios imigrantų bangos politinė veikla žymiai pajudėjo, prasidėjus I pasauliniam karui, kuomet suspindo vilties spindulėlis, kad pasaulio santvarka pasikeis ir atsiras galimybė Lietuvai atgauti autonomiją arba net nepriklausomybę. Siekdami kuo geriau informuoti Amerikos valdžią ir piliečius apie daromus planus, sunkumus ir viltis atsatyti Lietuvos nepriklausomybę, ir įtaigoti Amerikos diplomatiją, lietuviai jungėsi į centralizuotas politines organizacijas: lietuvių tautininkų - Tautinė sąjunga (Sandara), ir katalikų - Amerikos Lietuvių taryba. Šios ir kitos panašios organizacijos steigė paramos Lietuvai fondus ir surinko milijonus dolerių karo pabėgėliams, Vokietijoje ir Austrijoje esantiems karo belaisviams šelpti, paremti Lietuvių informacijos biurą Vašingtone ir Lausanne (Šveicarijoje), taip pat Lietuvos delegaciją Taikos konferencijoje Paryžiuje. Parama buvo siunčiama medicinos reikmenims ir kitiems tikslams. Šių organizacijų pastangų dėka, Amerikos prezidentas Woodrow Wilson 1916 metų lapkričio 1 dieną paskelbė „Lietuvių diena" ir ragino amerikiečius savo aukomis sušelpti karo nukentėjusius Lietuvoje.

Kai Lietuvos Taryba 1918 metais vasario 16 dieną Vilniuje pasirašė Nepriklausomybės paskelbimo aktą, lietuviams tai buvo tarytum visų svajonių išsipildymas po 120 metų trukusios Rusijos priespaudos, bet taip pat ir sunkaus darbo pradžia, siekiant nepriklausomybės įtvirtinimo ir Lietuvos pripažinimo. Amerikoje gyvenančių lietuvių politinė bei finansinė parama buvo gyvybiškai svarbi. Jau 1918 metų kovo 13 dieną Amerikos lietuviai katalikai ir tautininkai įsteigė vykdomąjį komitetą padėti politinėms partijoms Lietuvoje. Amerikos lietuvių organizacijų atstovai buvo įtraukti į Lietuvos valstybės delegaciją ir dalyvavo Paryžiaus Taikos konferencijoje 1919 metais. Daugiau kaip 200 karo veteranų, tarnavusių Amerikos ginkluotose pajėgose, atvyko į Lietuvą ir įsijungė į Lietuvos kariuomenės gretas. Buvo net bandoma sukurti Amerikos lietuvių karinį dalinį. Lietuvių laisvės fondai (Liberty Bonds) surinko apie 2 milijonus (šių laikų vertė – 40 milijonai) dolerių. Pinigų pervedimu, siuntiniais, aukomis bei kitais būdais tarp 1915 ir 1920 metų Amerikos lietuviai į Lietuvą pasiuntė apie 10 milijonų (šių laikų vertė – 200 milijonų) dolerių. Buvo surinkta vienas milijonas parašų po peticija, prašant Amerkos vyriausybės pripažinti Lietuvos nepriklausomybę. Peticija buvo įteikta prezidentui Warren G. Harding 1921 metų gegužės 31 dieną. Po metų, 1922 liepos 27 dieną, Jungtinės Amerikos Valstijos pripažino Lietuvą de facto ir de jure.

Netrukus po Lietuvos nepriklausomybės paskelbimo, Amerikos Lietuvių kongresas, įvykęs Čikagoje 1919 m. birželį, nutarė nuliedinti Laisvės varpą pagal Amerikos Laisvės varpą, laikomą Philadelphijoje, ir padovanoti Lietuvai, kaip simbolį, jungiantį Amerikos lietuvius su gimtąja šalimi. Varpas buvo įkeltas į Karo muziejaus bokštą Kaune ir pirmą kartą Lietuvoje suskambėjo, švenčiant Nepriklausomybės šventę, 1922 metais vasario 16 dieną.

Nepriklausomybės laikotarpiu Amerikos lietuviai padėjo naujai atsikūrusiai Lietuvos valstybei įvairiais būdais – politiškai, finansiškai ir kultūriškai. Didžiulės sumos pinigų buvo surinktos bažnyčių, mokyklų ir įvairių organizacijų namų statybai. Tačiau didžiausia ekonominė imigrantų parama buvo nuolatinis pinigų srautas, plaukiantis iš Amerikos giminėms Lietuvoje – bent 30 milijonų (šių laikų vertė – 375 milijonai) dolerių vien tarp 1918 ir 1929 m.

Kultūriniai ryšiai tarp Amerikos ir Lietuvos buvo sutvirtinti, pasikeičiant lankytojais ir profesionalais iš abiejų valstybių. Grupinės kelionės į Lietuvą tapo labai populiarios. Lietuva buvo supažindinta su amerikiečių sportu, ypač krepšiniu ir beisbolu. Amerikos lietuvis, lakūnas ir didvyris Steponas Darius (1896-1933) buvo ypač uolus abiejų šių sporto šakų propaguotojas.

Amerikos lietuvis, krepšinio žvaigždė Frank Lubin (1910-1999), buvęs aukso medalį 1936 metų Berlyno olimpiadoje laimėjusios Amerikos krepšinio komandos kapitonas, atvyko į Lietuvą 1938 metais treniruoti lietuvius krepšininkus ir, drauge su kitais Amerikos lietuviais, padėjo Lietuvai 1938 metais laimėti Europos čempionatą. Edward Walter „Moose" Krause (Kriaučiūnas, 1913-1992), žaidęs už Notre Dame universitetą, trejus metus buvo įvertintas tarp geriausių (All American) universitetų žaidėjų. 1976 metais jis buvo įtrauktas į Amerikos krepšinio garbės sąrašą „Basketball Hall of Fame". Kiti lietuviai tuo metu taip pat pasižymėjo sporte. Jack Sharkey (Joseph Paul Žukauskas, 1902-1994) 1932 metais bokso varžybose nugalėjo Max Schmeling ir laimėjo pasaulio sunkaus svorio bokso čempiono titulą. Pete Gray (Peter Wyshner, 1915-2002), lietuvių imigrantų sūnus, 1945 metais žaidė „St. Louis Browns" komandoje ir buvo vienintelis vienarankis vyras, bet kuomet žaidęs aukščiausioje beisbolo lygoje.

Metams praslinkus po Jack Sharkey sunkiasvorio boksininko titulo laimėjimo, lietuviai abipus Atlanto nekantriai laukė sėkmingos istorinio transatlantinio Dariaus ir Girėno skrydžio pabaigos. Tiek Steponas (Stephen) Darius, tiek Stasys (Stanley) Girėnas (1893-1933) emigravo iš Lietuvos XX amžiaus pirmajame dešimtmetyje ir abu tarnavo JAV kariuomenėje I pasaulinio karo metu. 1933 metų liepos 15 dieną jie bandė be sustojimo nuskristi iš New Yorko į Kauną – iš viso 4,465 mylių atstumą (7186 km) vienmotoriu Bellanca CH-300 Pacemaker lėktuvu, pavadintu „Lituanica".

Sėkmingai be sustojimo perskridus Atlantą per 37 valandas ir 11 minučių ir likus vos 404 mylioms (650 km) nuo skrydžio tikslo, dėl iki šiol neišaiškintų priežasčių, liepos 17 dieną lėktuvas nukrito Soldin miškelyje (tuomet Vokietijoje, dabar Pszczelnik, Lenkija). Abu lakūnai žuvo, tačiau jų skrydis vis tiek buvo įrašytas istorijon. „Lituanica" nešė pirmąją visoje istorijoje tarpatlantinę pašto siuntą ir, nors lakūnai neturėjo modernių instrumentų ir skrido esant nepalankiam orui, jų skrydis buvo vienas tiksliausių aviacijos istorijoje. Kai kas tvirtino, kad jis prilygo - ir kai kuriais atvejais pralenkė - Charles Lindberg 1927 metų skrydį. Šiam skrydžiui ir jo lakūnams atminti paminklai buvo pastatyti Amerikoje, Lenkijoje ir Lietuvoje. Daug vietovių yra pavadintos jų vardu.

Emigracija iš Lietuvos beveik sustojo I pasaulinio karo metu ir po to dar sumažėjo, kai 1920 metais buvo įvesti Amerikos imigracijos įstatymai, kurie ribojo imigrantų skaičius. Pavyzdžiui, 1929 metais iš Lietuvos galėjo atvykti tik 366 imigrantai. Lietuvos konsulato Vašingtone duomenimis, neteisėtai kasmet į Ameriką atvykdavo apie 1000 imigrantų. Didysis ekonominis nuosmukis 1930 metais dar labiau sumažino imigraciją.

Lietuva dalyvavo Pasaulinėse parodose Paryžiuje (1937 metais) ir New Yorke (1939 metais), kur įruošė paviljonus paminėti 21 metų nepriklausomybės paskelbimo sukaktį ir taip pat siekdami supažindinti Amerikoje gyvenančius lietuvius su savąja tauta. Rugsėjo 10 dieną parodoje vyko įspūdinga Lietuvių diena. Parade į lietuvių paviljoną žygiavo karo veteranai ir keli tūkstančiai choristų, vedami penkių pučiamųjų ir būgnų orkestrų. Paviljone buvo atlikta tautinių šokių ir dainų programa, stebint 75-100 tūkstančių žmonių miniai. Tai buvo paskutinė didžiulė pirmosios lietuvių imigrantų bangos šventė. Prasidėjus II pasauliniam karui, Lietuvos vyriausybė buvo priversta paviljoną uždaryti.

## Antroji banga - 1940-1989

Karo šmėkla Europoje sukėlė baimę visiems lietuviams. Ar Lietuva vėl taps vieškeliu rytų ir vakarų kariuomenėms? Ar ji galės išsaugoti taip sunkiai iškovotą nepriklausomybę? Mažai kas žinojo, kad tiek Lietuvos, tiek daugumos Rytų Europos valstybių likimas jau buvo nuspręstas 1939 metų rugpjūčio mėnesį, kai nacių Vokietija ir Sovietų Sąjunga pasirašė Molotovo-Ribbentropo sutartį. Ši nepuolimo sutartis padalino Europą į vokiečių ir sovietų įtakos sferas. Dėl Lietuvos teritorijos vyko ypač daug slaptų derybų, bet galų gale ji teko sovietams. Sovietų kariuomenė 1940 metų birželio 15 dieną užėmė Lietuvą ir pradėjo ruoštis prievartiniam Lietuvos įjungimui į Sovietų Sąjungą. Po metų, karui prasidėjus, vokiečiai užėmė Lietuvą, bet, 1944 metais vokiečių kariuomenei pasitraukus, ją vėl okupavo Sovietų Sąjunga.

Dėl karo ir sovietų bei vokiečių okupacijos Lietuvai teko daug nukentėti. Ji holokausto metu prarado apie 190 000 savo piliečių žydų, 91 procentų prieš karą buvusios labai gyvastingos bendruomenės. Šimtai ir tūkstančiai lietuvių buvo sovietų nužudyti arba ištremti į Sibirą, kur daugelio jų laukė žiauri mirtis priverstinio darbo lageriuose. Kiti buvo išsiųsti į Vokietiją priverstiniams darbams, o dar kiti pabėgo į Vakarus. 1944-1952 metų laikotarpiu daugiau kaip 20 000 partizanų žuvo Lietuvos miškuose arba buvo sugauti ir už pasipriešinimą sovietų okupacijai jiems įvykdyta mirties bausmė.

Pabėgusieji į Vakarus daugiausia buvo apgyvendinti pabėgėlių stovyklose Vokietijoje ir Austrijoje. Kai Amerikos vyriausybė 1948 metais priėmė išvietintųjų asmenų įstatymą, apie 30 000 jų atvyko į Ameriką. Tai buvo didžioji antroji imigrantų banga. Daug jų buvo iškviesti BALFo dėka. Ši šalpos organizacija (Bendras Amerikos Lietuvių fondas) buvo įkurta 1944 metais ir pagaliau užsidarė 2008 metais.

Amerikos lietuviai, nelaukdami karo pabaigos, jungėsi į politinę veiklą, kad padėtų savo gimtajam kraštui. Vos praslinkus mėnesiui, kai sovietai užėmė Lietuvą, katalikų veikėjų vadai susirinko Philadelphijoje ir įkūrė Lietuvai Gelbėti tarybą, kuri 1941 metais pakeitė pavadinimą į Amerikos Lietuvių tarybą (ALT). Taryba 1944 metais New Yorke įsteigė Amerikos Lietuvių informacijos centrą, kuris turėjo palaikyti ryšius su žiniasklaida bei Amerikos valdžia, ir taip pat informuoti pasaulį apie įvykius sovietų okupuotoje Lietuvoje.

Taryba ir kitos Amerikos lietuvių grupės siuntė delegacijas į Baltuosius rūmus bei Valstybės departamentą, protestuodamos prieš sovietų okupaciją Baltijos kraštuose ir įtikindamos prezidentą Eisenhower paremti jų inciatyvą, kad Amerikos Kongresas pradėtų tirti sovietų užgrobimą ir trijų Baltijos valstybių okupavimą. Kongreso komitetas, vadovaujamas atstovo Charles J. Kirsten, išklausė šimtus liudininkų ir išleido kelis apklausinėjimų protokolų tomus. Komitetas taip pat paruošė studiją apie Baltijos valstybes: „Baltijos šalys: jų tautinio išsivystimo pradžia, jų užėmimas ir įjungimas į Sovietų Sąjungą" (Baltic States: A Study of their Origin and National Development, Their Seizure and Incorporation into U.S.S.R, 1954). Ši studija yra žinoma, kaip „Kirsten raportas" ir ilgą laiką buvo geriausias žinių šaltinis apie Baltijos valstybes.

ALTo pastangų dėka, buvo suteikta galimybė atstovauti Lietuvai Laisvosios Europos komitete, turėti lietuvių kalba laidas Amerikos Balso radijuje ir Lietuvos Nepriklausomybės dieną švęsti JAV Senate bei Atstovų rūmuose.

Po II pasaulinio karo į Ameriką atvykę imigrantai buvo išsimokslinę profesionalai – advokatai, inžinieriai, gydytojai, mokytojai, bankininkai, verslininkai, fabrikų savininkai, valstybės tarnautojai, rašytojai, poetai, menininkai, spaudos žmonės, aktoriai, muzikai – kitaip tariant, viduriniosios klasės „buržuazija", kurią komunizmas stengėsi sunaikinti. Jų pažiūros buvo europietiškos. Daugeliu atvejų Amerika jiems buvo keista ir svetima. Nedaugelis gerai mokėjo anglų kalbą, todėl pradžioje negalėjo gauti darbo savo profesijoje.

Antrosios bangos imigrantams buvo labai svarbu išlaikyti lietuvybę, kultūrą ir savąją tautinę tapatybę. Lietuva buvo sovietų okupuota ir intensyviai nutautinima, rusinama. Amerikoje grėsė įsiliejimo į vietinę visuomenę pavojus. Lietuviai norėjo sukurti „Lietuvą už Lietuvos". Todėl, užuot įsijungę į jau veikiančias lietuviškas organizacijas, jie iš dalies atgaivino veikusias Lietuvoje – skautus, korporacijas (pvz., Korp! Neo-Lituania), katalikiškas organizacijas, ateitininkus ir sporto klubus. Jie taip pat įsteigė profesionalų organizacijas, kultūrines ir mokslo institucijas, muziejus ir lietuvių kultūros archyvus, bibliotekas, meno galerijas, jaunimo centrus, kultūrinius centrus, radijo programas, lietuviškojo paveldo mokyklas, jaunimo stovyklas ir net Lietuvių operą (1957), televizijos programą (Lietuviai televizijoje, 1966-1978), taip pat lietuvių kalbos katedrą Illinois universitete, Čikagoje (1981).

Siekiant Amerikoje išlaikyti ir skatinti lietuviškąjį kultūrinį paveldą, 1951 metais buvo sukurta tautinė, visus vienijanti bendruomenė. Su apygardomis ir apylinkėmis visose Amerikos valstijose JAV Lietuvių Bendruomenė veikia paskirose apylinkėse, o jas visas apjungia Krašto valdyba. Apylinkių valdybos ruošia kultūrinius renginius ir minėjimus, remia kultūrinius bei sporto klubus, parodas, paskaitas, koncertus, lietuviškas šeštadienines mokyklas. Visos Amerikos mastu Lietuvių Bendruomenė organizuoja kultūrinius ir mokslo simpoziumus, teatro festivalius, ruošia įvairius konkursus, suteikia kultūrinius žymenis ir kas ketveri metai rengia tautinių šokių bei dainų šventes. Jos Socialinių reikalų taryba siekia suteikti įvairias paslaugas (informaciją teisiniais ir sveikatos klausimais) lietuvių kilmės asmenims, ieškantiems paramos.

Lietuvių studentų sąjunga didžiuojasi pradėjusi 1954 metais leisti žurnalą „Lituanus", kuris yra pirmasis mokslinis žurnalas anglų kalba. Žurnalo tikslas: supažindinti nelietuvius mokslininkus su Lietuva ir kitomis Baltijos valstybėmis.

Lietuvių fondas buvo įkurtas 1960 metais remti lietuvių kultūrinę ir švietimo veiklą. Jau 1974 metais, gausių aukų ir palikimų dėka, Lietuvių fondas buvo surinkęs daugiau kaip vieną milijoną dolerių. Nuo įsteigimo pradžios Lietuvių fondas išdalino arti 14 milijonų dolerių paramos ir stipendijų. Fondas jau yra pasiekęs 15 milijonus dolerių kapitalo.

Pagrindinės politinės organizacijos buvo: Vyriausias Lietuvos Išlaisvinimo komitetas – VLIK, ir Amerikos Lietuvių taryba – ALT. VLIK buvo įkurtas vokiečių okupuotoje Lietuvoje 1943 metais, siekiant suderinti įvairią politinę pogrindžio veiklą ir pastangas išlaisvinti Lietuvą iš nacių okupacijos. Artėjant antrajai sovietų okupacijai, 1944 metų vasarą, komitetas pasitraukė iš Lietuvos į Vokietiją, o 1955 metais - į New Yorką. Jo pagrindinis tikslas Amerikoje buvo išlaikyti Lietuvos okupacijos nepripažinimo politiką ir skleisti informaciją apie Sovietų Sąjungos vykdomą priespaudą okupuotose Baltijos valstybėse. VLIKo nariai dalyvavo įvairiuose tarptautiniuose suvažiavimuose, kuriuose kalbėjo Lietuvos vardu ir skelbė Lietuvos teisę būti laisva bei nepriklausoma.

Kitos veikiančios politinės grupės buvo: Laisvos Lietuvos komitetas, turėjęs artimus ryšius su Lietuvos diplomatine tarnyba, buvęs Laisvosios Europos komiteto padalinys ir Jungtinio pavergtų Europos šalių komiteto narys; taip pat katalikų organizacija Lietuvių fronto bičiuliai.

Visos šios ir kitos organizacijos be paliovos darbavosi, kad Lietuva būtų išlaisvinta, taip pat stengėsi išlaikyti lietuvių tautinį ir kultūrinį paveldą. Jos kreipėsi į JAV Kongresą, Baltuosius rūmus, Valstybės departamentą ir kitas valdžios įstaigas; organizavo konferencijas ir masinius protesto mitingus bei demonstracijas. Kasmet, pradedant 1958 metais, buvo paminima Pavergtų tautų savaitė. Jos spausdino ir Vakaruose platino pogrindinę Lietuvos literatūrą, ypač „Lietuvos Katalikų Bažnyčios Kronikas". Kartu dirbant su kitomis baltiečių grupėmis tokiose organizacijose, kaip Bendras Amerikos Baltų tautinis komitetas (JBANC) ir Baltų apeliacija į Jungtines Tautas (BATUN), jų veikla apėmė 1965 metais įvykusį Baltiečių laisvės suvažiavimą, sutelkusį apie 15,000 lietuvių, latvių ir estų, ir žygį prie Jungtinių Tautų pastato, minint sovietų okupacijos 25-metį.

Lietuvių spauda atliko ne tik svarbų vaidmenį Amerikos lietuvių kultūriniame, visuomeniniame ir politiniame gyvenime, bet su nauju užsidegimu įsijungė į pastangas išlaisvinti Lietuvą iš sovietų okupacijos. Po 1945 metų buvo pradėta leisti keli nauji laikraščiai ir daugiau kaip 30 naujų žurnalų, iš kurių keletas buvo moksliniai. 1976 metais Amerikoje buvo spausdinama 12 laikraščių ir 42 žurnalai lietuvių kalba. Kasmet buvo išleidžiama maždaug 100 knygų. Spaudos klestėjimą apvainikavo 1953 metais Bostone įkurta Lietuvių enciklopedijos leidykla, išleidusi 36 „Lietuvių Enciklopedijos" tomus, šešis enciklopedijos tomus anglų kalba („Encyclopedia Lituanica") ir daug kitų svarių leidinių. Enciklopedija iki šiol yra nepakeičiamas Lietuvos istorijos bei lietuvių išeivijos žinių šaltinis.

Sportas atliko svarbų vienijantį, visuomeninį vaidmenį. Pirmosios bangos imigrantai daugiausia įsijungė į amerikiečių sporto komandas, bet antrabangiai organizavo savo sporto klubus ir organizacijas. Ši veikla jau prasidėjo pabėgėlių stovyklose Vokietijoje ir Austrijoje. 1947 metais Augsburge (Vakarų Vokietijoje) buvo suorganizuotas Fizinio auklėjimo ir sporto komitetas (FASK), kurio paskirtis buvo derinti apie 30 sporto klubų veiklą. Komitetas savo darbą tęsė Amerikoje, kur jis susijungė su Mėgėjų atletų sąjunga. Vėliau ši organizacija savo veiklą išplėtė, įjungdama Kanados lietuvų komandas bei atletus, ir nuo 1965 metų yra vadinama Šiaurės Amerikos Lietuvių fizinio auklėjimo ir sporto sąjunga (ŠALFASS). Tarp jos pasiekimų buvo surengtos tarptautinio krepšinio varžybos tarp lietuvių, gyvenančių skirtinguose žemynuose (Pietų Amerika, 1959; Australija, 1964), ir Pasaulio lietuvių sporto žaidynės.

Lietuviai aktyviai dalyvavo Amerikos sporte. Jie buvo ypač sėkmingi profesonalų krepšinio ir futbolo komandose. Beisbolo „žvaigždžių" lygį yra pasiekęs beisbolo žaidėjas Eddie Waitkus (Edvardas Vaitkus), kurio gyvenimas buvo pavaizduotas filme „The Natural" (su Robert Redford), Al Kaline (Kalinauskas), priklausęs Detroito „Tigers" komandai, taip pat Johnny Podres (Jonas Podrys) Brooklyno „Dodgers" ir Los Angeles „Angels" žaidėjas. Amerikietiško futbolo garbės sąrašuose (Hall of Fame) yra įtraukti Dick Butkus ir Johnny Unitas (Jonas Jonaitis), o dabartinis „Cleveland Browns" komandos kapitonas yra Joe Jurevicius (Juozas Jurevičius). Tenise buvo pagarsėjęs Vitas Gerulaitis.

Lietuvoje gimę arba lietuvių kilmės asmenys taip pat suteikė brandų įnašą Amerikos mokslo bei meno srityse. Tarp žymesniųjų yra: aktoriai Charles Bronson, Rūta Lee-Kilmonytė ir Ann Jilian, antropologė Birutė Galdikas, archeologė Marija Gimbutienė, architektas Algimantas Bublys, astrofizikė Sallie Baliunas, avant-gardinių filmų kūrėjas Jonas Mekas, „Fluxus" meno pradininkas George Mačiūnas, filmų direktorius Robert Zemeckis, mokslinės fantastikos (science fiction) romanų autorius Algis Budrys, fizikas Algirdas Avižienis, poetas Tomas Venclova, sociologas Vytautas Kavolis.

Šių laikų Amerikos politikoje aukštai pakilę yra: Richard Durbin (demokratas iš Illinois), užimantis pagal svarbumą antrąją vietą JAV Senate; Kongreso narys John Shimkus (respublikonas iš Illinois) ir Michigan Respublikonų partijos pirmininkas Saulius Anužis, kurie taip pat turi lietuviškas šaknis.

Lietuvių kilmės Stanley Bender buvo apdovanotas aukščiausiu Amerikos kario žymeniu (Congressional Medal of Honor) už jo narsumą Antrojo pasaulinio karo metu. Amerikos karo laivyno admirolas Fred E. Bukaitis, pasižymėjęs naikintuvų pilotas (Air Ace) II pasaulinio karo metu, už narsumą buvo apdovanotas Laivyno Kryžiumi (Navy Cross), kuris yra antras aukščiausias medalis. Jis taip pat dalyvavo ekspedicijose į Antarktį ir buvo keturių

„Apollo“ erdvės skrydžių nusileidmo gelbėtojas, dėl to jis buvo apdovanotas medaliu už ypatingai gerai atliktas pareigas (Exceptional Service Medal). Pulkininkas Anthony B. Herbert (Arbutis) buvo aukščiausiai apdovanotas karys Korėjos kare: jis gavo sidabrinės žvaigždės (Silver Star) medalį ir po to dar keturis kartus tarnavo Vietname.

Lietuvoje nuo senų laikų gyvenusi gausi ir įtakinga žydų visuomenė buvo beveik visiškai holokausto sunaikinta II pasaulinio karo metu. Daug Lietuvos žydų (jidiš kalba vadinamų litvakais) atvyko į Ameriką, ypač XX amžiaus pradžioje. Jie ir jų palikuonys Amerikoje paliko svarbų įnašą įvairiose mokslinėse, meno ir muzikos srityse. Tarp jų yra: madų kūrėjos Lane Bryant ir Beth Levin; kompozitoriai Aaron Copeland ir Philip Glass, dainininkai-kūrėjai Al Jolson ir Bob Dylan; smuikininkai Jascha Heifetz ir Paul Zukofsky; filosofas Aron Gurwitsch; skulptorius Jacques Lipchitz; komikai iš populiariosios „Three Stooges" grupės – Horowitz broliai; Nobelio prizo laimėtojai Bernard Lown ir Andrew Schally.

## Trečioji banga

Naujas tautinis atgimimas Lietuvos politiniame ir tautiniame gyvenime prašvito 1988 metų birželį, kai Vilniuje gimė Lietuvos laisvės judėjimas Sąjūdis (Lietuvos persitvarkymo sąjūdis). Sąlygos šiam ir kitems panašiems judėjimams Baltijos valstybėse atsirado jau anksčiau, Sovietų Sąjungos Komunistų partijos generaliniam sekretoriui Mikhail Garbachev paskelbus savo ekonominės reformos (perestroiką) ir atvirumo programą (glasnost). Vadovaujamas intelektualų ir remiamas daugumos gyventojų, Sąjūdis sugebėjo įtaigoti Lietuvos Komunistų partiją priimti konstitucijos pataisas, suteikiančias pirmenybę Lietuvos įstatymams, panaikinti 1940 metais paskelbtą nutarimą, kad Lietuva yra SSSR dalis, įteisinti daugiapartinę sistemą ir priimti eilę kitų svarbių nutarimų, įskaitant valstybinų simbolių – vėliavos ir himno - grąžinimą. Sąjūdžio suorganizuoti milžiniški mitingai pasižymėjo vėliavų gausa, uždegančiomis politinėmis kalbomis ir lietuviškų patriotinų dainų dainavimu, kas paskatino amerikiečių žurnalistus laisvės judėjimą Lietuvoje pavadinti „dainuojančia revoliucija". Šiapus Atlanto Amerikos lietuviai rengė gausias demonstracijas Vašingtone ir kituose didžiuosiuose miestuose, remdami savo brolių pastangas Lietuvoje. „Dainuojančios revoliucijos" dėka Lietuva tapo pirmoji buvusi sovietų respublika, paskelbusi nepriklausomybę nuo Sovietų Sąjungos 1991 metų kovo 11 dieną,

Pirmieji naujieji imigrantai į Ameriką pradėjo atvykti 1988 metais. Kai kurie buvo disidentai, persekiojami sovietų slaptosios policijos (KGB), kiti bėgo nuo pašaukimo į sovietų kariuomenę, kuri iš Lietuvos pasitraukė tik 1993 metais. Pradžioje imigrantų buvo nedaug, bet po 1990 metų kovo 11 dienos, kuomet Lietuva paskelbė savo nepriklausomybę, jie tapo nauja banga.

Pagrindinė emigracijos priežastis buvo ekonominiai sunkumai, maži atlyginimai, nepastovūs darbai, darbų trūkumas (ypač žemės ūkio srityje), gausėjantis skurdas, privataus verslo apribojimas, įstatymai pakėlę pensijos amžių ir, galbūt užvis svarbiausia, ateities netikrumas. Šiuo atveju trečiabangiai yra labai panašūs į pirmosios bangos imigrantus. Daug trečiosios bangos imigrantų į Ameriką atvyko su „žalia kortele", bet taip pat daug ir neteisėtai.

Iki šiol atvykusieji yra įvairaus išsilavinimo: darbininkai, valdininkai, vadybininkai, intelektualai, šokėjai, muzikai, menininkai, ūkininkai ir įmonininkai. Didžioji jų dalis yra jaunesnio amžiaus.

Naujieji imigrantai jau įsteigė du savaitraščius - „Amerikos lietuvį" ir „Vakarai" - kurie atspindi jų susidomėjimą nauju gyvenimo stiliumi, kultūra, sportu ir darbo galimybėmis Amerikoje. Laikraščiuose yra daug reklamų: gydytojų, stomatologų, optometristų, apdraudos agentų, finansinių patarėjų, bankininkų ir technologijos informatikos specialistų. Lietuvių verslininkų „Rotary“ klubo įsteigimas Čikagoje rodo gyvą naujųjų imigrantų visuomenę.

Naujieji imigrantai siunčia daug sunkiai uždirbtų pinigų savo šeimoms į Lietuvą. Apskaičiuojama, kad tai sudaro apie tris nuošimčius Lietuvos bendrojo produkto, kas yra daugiau nei Europos Sąjungos teikiama parama.

Naujiesiems imigrantams ypač svarbų jungiamąjį vaidmenį suteikia sportas. Čikagoje jie yra įkūrę dvi savo sporto lygas – krepšinio ir europietiško futbolo. Kiekvienoje lygoje yra po aštuonias komandas. Trys lietuviai žaidėjai šiuo metu žaidžia profesionalais NBA krepšinio lygoje: Žydrūnas Ilgauskas (Cleveland „Cavaliers"), Linas Kleiza (Denver „Nuggets") ir Darius Songaila (Washington „Wizards"). Pramoginių šokių šokėjai taip pat sėkmingai pasirodo Amerikoje.

Sunku nustatyti tikrą naujųjų imigrantų skaičių, nes jis skiriasi nuo oficialiai apskaičiuoto dėl neteisėtai atvykusių imigrantų. Apytikriai šis skaičius svyruoja apie 250 000. 2000 metais atlikto gyventojų surašinėjimo duomenimis, Amerikoje gyvena apie 660 000 lietuvių arba lietuvių kilmės žmonių. Lietuvių duomenimis yra priskaičiuojama apie vienas milijonas.

Keletas labai žymių Amerikos lietuvių grįžo į Lietuvą padėti atsikuriančiai valstybei. Tarp jų yra du kartus išrinktas Lietuvos prezidentu Valdas Adamkus ir buvęs Lietuvos kariuomenės vadas, generolas majoras Jonas Kronkaitis.

Susidūrę su nutautimo pavojumi, naujieji imigrantai pradeda vis labiau domėtis savo lietuviškuoju paveldu. Jie pradeda daugiau įsijungti ir siunčia savo vaikus į šeštadienines mokyklas, kur mokoma lietuvių kalba, tautiniai šokiai, dainos ir vyksta kita kultūrinė veikla. Jie labai vangiai jungiasi į ankstesniųjų imigrantų bangų įkurtas kultūrines bei politines organizacijas, bet steigia savas organizacijas ir spaudą. Šių laikų internetas, kurio neturėjo ankstesnių bangų imigrantai, sudaro galimybes palaikyti glaudžius ryšius su draugais ir šeimomis Amerikoje, Lietuvoje ir visame pasaulyje.

Amerika yra imigrantų šalis. Imigrantai šią valstybę pastatė ir toliau ją stato. Imigrantai iš Lietuvos yra suteikę savo įnašą ir toliau tęsia savo vaidmenį Amerikos gyvenimo istorijoj.

# Lithuanians in America: A Historical Overview

*Ramūnas Kondratas*

Lithuania is a country of about 3.4 million people situated on the south-eastern shore of the Baltic Sea with Latvia to the north, Belarus to the southeast, and Poland and the Russian enclave of Kaliningrad to the southwest. Geographically, Lithuania is in the center of Europe and as such has been at the crossroads of Western and Eastern civilizations. Its rich history and often tragic fate have determined the patterns and scale of migration.

Lithuanians have always been deeply attached to their land. Their affinity to nature is manifest in their past pagan religion – they were the last pagan nation in Europe – and in their language, the most archaic spoken Indo-European language in the world. The national re-awakening of the late 19th century, which defined Lithuanian culture as we know it today, had its roots and inspiration in the countryside.

Many Lithuanians left their land to escape servitude and political oppression during the Russian occupations of their country. Others left to seek a better life for themselves and their families due to the poor economic and social conditions in their homeland.

To date, the largest number of migrants from Lithuania has come to the United States. Starting in the mid-19th century, there have been three massive waves of immigration to the United States. The first wave of immigrants came between the 1870s and the 1930s, primarily for economic reasons. The second wave came in the 1940s and early 1950s, primarily as political refugees fleeing the Soviet occupation of their homeland. The third wave began arriving in the late 1980s as Lithuania was breaking away from the Soviet Union and re-establishing its independence. But these were not the first settlers to come to the New World from the territory of Lithuania.

## Earliest settlers

The first known Lithuanian in American history was Alexander Carolus Curtius (sometimes written as Cursius; Lithuanianized as Kuršius), a nobleman and scholar with degrees in medicine, law, and theology. Probably forced to leave the Grand Duchy of Lithuania (then part of the Polish-Lithuanian Commonwealth) by the Counter-Reformation, he went to the Netherlands and in Amsterdam on April 10, 1659, signed a contract with the West India Company to become the first rector and teacher of the newly established Latin School on Broad Street in New Amsterdam (now New York City). The city magistrates hoped that this school of higher education would eventually become an academy or university.

In a letter to Peter Stuyvesant, the governor of New Amsterdam, the directors of the West India Company described Curtius as "a former professor from Lithuania" and wrote that he was retained by them at an annual salary of 500 florins (guilders), including funds for sustenance. His work got off to an excellent start and Stuyvesant reported: "As to his services and diligence, we must truly testify that his industry is astonishing and the progress of the young remarkable." After more than two years of work, Curtius resigned and sailed back to the Netherlands. He enrolled at the University of Leiden, where he was registered as "Carolus Alexander Curtius Nobilis, Lithuanus I.V.D. et Medicinae candidatus," and received his medical degree in 1662. He returned to Lithuania where he taught at one of the schools founded by his patron, the Lithuanian magnate Boguslovas Radvila (1620-1669) of Biržai.

A plaque commemorating Curtius' service is found on Broad Street near the New York Stock Exchange where the first Latin school in New York was located.

Other individuals and small groups – adventurers, craftsmen, farmers, and religious dissidents – came from Lithuania to the New World in the 17th century but little is known about them. More is known about some of those who came at the end of the 18th century to participate in the War of Independence, especially Thaddeus Kosciuszko (Tadas Kosciuška in Lithuanian; Tadeusz Kosciuszko in Polish).

Kosciuszko, a military engineer and a fighter for freedom is a national hero in several countries – Belarus, Lithuania, Poland, and the United States. He was born in 1746 to a petty noble family in a village (now Kosava, Belarus) in the Grand Duchy of Lithuania, which was then a federated part of the Polish-Lithuanian Commonwealth, and died in Switzerland in 1817. In his will he describes his origins as "from Lithuania in Poland" and in proclamations often identified himself with Lithuania.

Recommended by Benjamin Franklin, Kosciuszko came to fight as a volunteer for American independence and received his commission as Colonel of Engineers in the Continental Army in 1776. He planned many fortifications including the very effective ones at Bemis Heights, near Saratoga, and at West Point and was considered one of the best engineers in American service. He became one of George Washington's adjutants, and a good friend of Thomas Jefferson. For his meritorious service of seven years he was promoted by Congress to the rank of brigadier general, and granted American citizenship, land, and a large sum of money, some of which he used to help black slaves gain their freedom. After returning to his homeland, he fought valiantly, but unsuccessfully, against the occupying Russian armies to save the Polish-Lithuanian Commonwealth and to make it more democratic. Numerous places in the world, including some in the United States, are named after him.

In 1795, the joint state of Poland-Lithuania was forcibly dissolved by the third partition of the Commonwealth and forfeited its lands and sovereignty to Russia, Austria, and Prussia. Most of Lithuania was incorporated into the Russian Empire and the rest into Prussia. Lithuania as a sovereign state, once the largest in Europe, stretching from the Baltic to the Black Sea, disappeared from the world map until World War I.

But the Lithuanian and Polish people never gave up their hope for freedom and independence. Twice during the 19th century, in 1830-31 and 1863-64, they organized joint insurrections against the Russian Empire. These revolts were brutally suppressed by the tsar's armies. Survivors were hanged, deported to Siberia or forced into exile, mostly Europe, but some also came to the United States.

Several hundred Lithuanians, as best as can be determined, and even more Poles fought during the Civil War (1861-65), most in the Union ranks. Among them was Alexander Bielaski, a civil engineer born in the Grand Duchy of Lithuania in 1811. After the failed insurrection of 1831, he fled to the United States, where he served as a surveyor in Florida during the Seminole War (1835), an engineer for the Illinois Central Railroad, and as a draftsman at the Land Office in Washington, D.C., starting in 1845. When asked by his friend President Abraham Lincoln, whom he met in Springfield, Illinois, to join the Union Army, he did so in August, 1861. Captain Bielaski died a hero's death storming the Confederate positions at Belmont, Missouri on November 7, 1861.

Captain Bielaski left seven children. One of his sons, Oscar Bielaski (1847-1911), also fought in the Civil War and then became a Major League baseball player (1872-76), and one of his grandsons, Alexander Bruce Bielaski (1884-1964), was the second director (1912-1919) of the Federal Bureau of Investigation (then the Bureau of Investigation).

Another important 19th-century insurrectionist officer and diplomatic representative to the United States was Henry Korwin Kalussowski (Henrikas Korvinas Kalušauskas), who was born in Lithuania in the manor of Kazimierava, the county of Ukmergė-Utena, in 1806. He studied law at the University of Vilnius (1823-27) and then took an active part in the revolt of 1831. After the revolt was put down in 1832, he fled to France. In 1838 Kalussowski with his wife and son Vytautas came to the United States and after eight years he became a U.S. citizen. Kalussowski worked in the Land Office in Washington, D.C., together with Alexander Bielaski. During the Civil War, he was instrumental in forming Lithuanian-Polish military units for the Union Army. After the second Lithuanian-Polish insurrection broke out in Russia, he was appointed an official representative to the United States of the insurrectionist Polish National Government in 1864 and from an office in New York City tried to organize support for the cause of Lithuanian and Polish independence. He died in Washington, D.C., on December 23, 1894 and is buried in Rock Creek Cemetery.

## The First Wave (1860-1940)

The mass migration of Lithuanians to the United States began after the abolition of serfdom in the Russian Empire (1861), the insurrection of 1863-64, and the drought and famines of the 1860s. It intensified after the passage of the 1874 law making a 25-year term of service in the Tsarist army obligatory.

Like many immigrants from Europe at the time, they entered the United States through New York City. But there was little work for them there so they went in great numbers to Pennsylvania to build railroads and work in the coal mines. In 1885, there were about 15,000 Lithuanians working in Pennsylvania coal mines. That number grew to about 80,000 or 90,000 by 1915. They formed vibrant communities, built churches, bought saloons, created businesses, established mutual aid societies, bands, choirs, and sports teams, and even created a Lithuanian press.

The late 19th century was witness to a National Reawakening in Lithuania and the diaspora. The new leaders who emerged sought the democratization of Lithuanian society, agrarian reform, and protection of the Lithuanian national culture against both russification and polonization. A new national identity was being formed.

This same process was also being played out in the diaspora, and is reflected in the early history of Lithuanian churches, social organizations, and the press in the United States. At first churches and mutual aid societies were formed together with the Poles but then as Lithuanian self-identity increased, they broke away, and went their separate ways.

Permission to establish the first Lithuanian parish in the United States and build a church was given in 1872 by the archbishop of Philadelphia to the Lithuanians of Shenandoah, PA. St. Casimir's church was built in 1874 but was assigned a Polish pastor which caused great unhappiness among the Lithuanians. In 1877 the Lithuanians formed a purely Lithuanian society, St. George's, and built a new church by that name which was blessed in 1894.

The number of churches began to increase steadily, not only in Pennsylvania but also in Michigan, Maryland, Illinois, New York, New Jersey, Connecticut, Massachusetts, and Ohio. By the end of the 19th century, there were nearly 40 Lithuanian parishes in those states. The number of Lithuanian parishes throughout the United States grew to about 120 by 1940. Next to the churches or nearby, Lithuanian halls were often built for meetings, cultural events, and social gatherings; schools were established. In 1936, the Lithuanian Catholic parishes conducted 48 parochial schools, with an enrollment of over 10,000, not including quite a few Saturday and Sunday schools. These churches and halls were places where Lithuanian-Americans went to hear news from their homeland, share in its sorrows, garner support in its quest for freedom and independence. In their hearts they represented a piece of their homeland. They were places where the Lithuanian national identity was strengthened and kept alive in spite of very strong assimilation forces.

The number of societies and various organizations increased even faster. By the end of the 19th century there were about 500, and that number grew to about 4,000 in the period before World War I – the "golden age" of the Lithuanian colonies in the United States.

In order to make their social, cultural, and political work more effective, many of the societies, especially mutual aid and religious, started to form large national alliances. The largest fraternal benefit organizations were the Lithuanian Alliance of America (*Susivienijimas Lietuvių Amerikoje* or *SLA*) and the Lithuanian Roman Catholic Alliance of America (*Lietuvių Romos Katalikų Susivienijimas Amerikoje - LRCAA*).

The Lithuanian Roman Catholic Federation of America (*Amerikos Lietuvių Romos Katalikų*

*Federacija*) was founded in 1906 in Wilkes-Barre, PA, during the first Lithuanian Catholic Congress. It is a federation of Catholic parishes, organizations, newspapers, institutions, and religious orders. Its mission is to coordinate their religious, cultural and national activities, and to maintain a bond with the mother country. Under its sponsorship a number of other Catholic organizations came into existence, such as the Knights of Lithuania, the Women's Alliance (*Amerikos Lietuvių Romos Katalikių Moterų Sąjunga,* 1914), and the Workers' Association (*Lietuvių Darbininkų Sąjunga,* 1915-1965). The Workers' Association began publishing the newspaper *Darbininkas* (The Worker) in 1915 and transferred it in 1950 to the Lithuanian Franciscans in Brooklyn, NY.

The Knights of Lithuania *(Lietuvos Vyčiai),* formed in 1913, was a national youth organization whose major purposes were to preserve Lithuanian culture and to restore Lithuania's freedom. Today, it is a family organization concerned with preserving an appreciation of the Lithuanian language, customs, and culture among its members while also stressing the importance of Roman Catholic beliefs. There are about 3,500 members today.

Pennsylvania was not only the site of the earliest Lithuanian churches and organizations but also the birthplace of the Lithuanian press. In 1875, in Shamokin, Mykolas Tvarauskas published the first Lithuanian book in America. It was a 165-page English-Lithuanian dictionary. Unfortunately, Tvarauskas' small press and most of the new book inventory was lost in a fire that year. Undaunted, Tvarauskas moved to New York (Brooklyn) and in 1879 began publishing the first Lithuanian-American newspaper, *Gazieta Lietuwiszka* (Lithuanian Newspaper). It was a four-page weekly which lasted only a year. That was the fate of many of the 225 newspapers and magazines published in the United States in the Lithuanian language between 1879 and 1940. Nevertheless, there were exceptions. Some newspapers showed remarkable stability and longevity. Most notably the Catholic-oriented *Draugas* (Friend), which began publication in Wilkes-Barre, PA in 1909, moved to Chicago in 1912, became a daily in 1916, and is still being published today – the oldest, continuously published Lithuanian newspaper in the world. Other major newspapers were *Naujienos* (News), published in Chicago from 1914 until 1988, and the weekly *Vienybė lietuvninkų* (Lithuanian Unity) which began publishing in Plymouth, PA in 1886, moved to Brooklyn, NY in 1907, shortened its name to *Vienybė* (Unity) in 1920, and ended publication in 1985.

The Lithuanian-language press played a major social, cultural, and political role in the United States by informing and educating immigrants and by fostering a national cultural movement, and, in Lithuania, by keeping the national movement alive through thousands of smuggled books and newspapers. Printing in the Lithuanian alphabet in Lithuania was forbidden by the Russian government from 1864-1904. From 1875 to 1904, about 720 publications with a total print run of almost half a million copies were published in the United States and in Tilsit, East Prussia (Lithuania Minor).

Even though Pennsylvania was the cradle of Lithuanians in America, many also went to many other parts of the country looking for jobs and a better life. They went to Baltimore to work as tailors, to New England to work in the textile and paper mills, to Detroit to work in the automobile industry, to Pittsburgh and Cleveland to work in the steel foundries, and to Chicago to work in the slaughter houses and factories. In the beginning of the 20th century, Chicago eclipsed Shenandoah as the capital of Lithuanians in America. From 1914 to 1939, there were more Lithuanians in Chicago than in Lithuania's capital, Vilnius. Their struggles in adjusting to life in the new country and work in the stockyards are vividly depicted in Upton Sinclair's classic muckraking novel The Jungle (1906).

Lithuanians made their way to the South and West. In 1852, a decade before the mass migration to Pennsylvania began, Lithuanian settlers from Šilutė (province of Suvalkai, Lithuania Minor), then in East Prussia, began arriving in Texas through the ports of Galveston and Indianola. They were

Germanized Lutherans and most settled in DeWitt County in the vicinity of Yorktown and Meyersville. A few settled in Goliad County. They took up farming and other trades and fairly quickly blended into the larger German-American community in the area. Names, family letters and other evidence show that they had arrived speaking and writing a German-influenced Lithuanian dialect. Most are buried in the Jonischkies Cemetery near Yorktown. Their descendants still live in the area.

The California Gold Rush, which began in 1848, soon attracted about 300,000 people to California from the United States and abroad, including adventurers from Lithuania, many of them 1831 rebels. Other Lithuanians started coming to the Pacific Northwest at the turn of the 20th century to work in the mines and lumber mills of Idaho, Montana, Oregon and Washington, with most going to Washington State.

Most of the first-wave immigrants were manual laborers and some were farmers. However, over time, businesses owned by the new immigrants in urban areas increased. According to data from 1910, in Chicago alone there were about 500 Lithuanian business establishments, which included 180 bars and saloons, 90 grocery stores, and 33 barbershops. By 1926 the number of grocery stores and butcher shops grew to nearly 300.

The number of Lithuanian professionals also increased. Some were immigrants, others were born and educated in the United States. In 1916, according to data collected by Lithuanians, there were 40 Lithuanian physicians, 10 lawyers, 25 newspaper editors, 25 publishers, 120 priests, and 30 bankers as well as about 3,000 shopkeepers, 2,500 owners of beer bars, and 10,000 tradesmen and skilled workers of various types.

The actual number of immigrants during the first wave is rather hard to calculate because until 1898 they were registered as Russians if they came from the Russian Empire, Germans if they came from East Prussia or Poles if they declared themselves to be Catholics. From 1898 onwards, Lithuanian nationality was noted on immigration records and, from 1910, in the United States census. Thus, according to data from the United States Immigration Service, from 1899 to 1914, a total of 252,594 individuals came to the U.S. from Lithuania (80.7 percent were Lithuanians, 13.4 percent were Jews, and 6 percent other nationalities). The 1940 U.S. census found 394,811 Lithuanians, but the real numbers were much larger. Statistical research by the geographer Kazys Pakštas and Rev. Simonas Draugelis, based on information supplied by parishes, organizations, and businesses as well as personal visits to most of the communities, put the number between 650,000 and 700,000 Lithuanians living in the United States in 1926-30. Most of them lived in the states of Illinois, Pennsylvania, Massachusetts, New York, and Connecticut.

The political activity of the first wave of immigrants significantly increased at the outbreak of World War I, when there was a glimmer of hope that the changed world order might lead to autonomy or independence for Lithuania, and when so many of their brethren were suffering from the war. In order to inform the United States government and the American people about their plans, needs, and aspirations and to influence U.S. diplomacy, they formed centralized political organizations such as the Lithuanian National League of America (Sandara) and the Lithuanian American Council. In turn, these and other organizations established assistance funds to aid Lithuania and raised millions of dollars for war refugees, for prisoners of war in Germany and Austria, for the Lithuanian Information Bureau in Washington, D.C., and Lausanne, Switzerland, for the support of the Lithuanian delegation at the Paris Peace Conference, for medical equipment, and other purposes. Due to their efforts President Woodrow Wilson declared November 1, 1916 "Lithuanian Day" and encouraged all Americans to make donations to assist Lithuanian war victims.

When the Council of Lithuania signed Lithuania's Declaration of Independence on February 16, 1918 in Vilnius, it was "a dream comes true" after 120 years of Russian occupation, but also the beginning of a hard struggle for recognition and the re-establishment of an independent state. Assistance from the immigrant communities in the United States was vital, especially political and financial support. Already on March 13, 1918, an Executive Committee of U.S. Catholics and Nationalists was formed to help the political parties in Lithuania. Representatives of American-Lithuanian organizations were included in the Lithuanian state delegation at the Paris Peace Conference of 1919. Over 200 ex-servicemen from the United States armed forces went to Lithuania to serve in various units of the Lithuanian armed forces. There were even efforts to form a military brigade of American Lithuanians. Lithuanian Liberty Bonds collected nearly two million dollars ($40 million today). Through transfers, packages, donations, and other means, American-Lithuanians sent about $10 million ($200 million in today's dollars) to Lithuania from 1915 to 1920. One million signatures were gathered on a petition to the United States government to recognize the independence of Lithuania and submitted to President Warren G. Harding on May 31, 1921. The United States recognized Lithuania de facto and de jure a year later on July 27, 1922.

Soon after Lithuania declared its independence, the American Lithuanian Congress meeting in Chicago in June of 1919 decided to cast a Liberty Bell, modeled on the Liberty Bell in Philadelphia, and present it to Lithuania as a symbol of the ties existing between American-Lithuanians and their native land. The bell was installed in the tower of the War Museum in Kaunas, the temporary capital, and was rung for the first time on Lithuanian Independence Day, February 16, 1922.

During the inter-war years of independence, Lithuanian-Americans helped the newly re-established state of Lithuania in all possible ways – politically, financially, and culturally. Large sums were collected for the building of churches, schools, and facilities for organizations. But the greatest economic contribution of immigrants was the constant flow of money sent home to their relatives – at least $30 million ($375 million today) from those in the United States alone from 1918 to 1929.

Cultural ties between the United States and Lithuania were strengthened by an exchange of visitors and professionals from both countries. Tours to Lithuania became popular and American sports were introduced into Lithuania, especially baseball and basketball. The Lithuanian-American aviator and hero Steponas Darius (1896-1933) was influential in the introduction of both.

A Lithuanian-American basketball star, Frank Lubin (1910-1999), who was the captain of the gold medal-winning U.S. Olympic Basketball Team in Berlin in 1936, came to Lithuania in 1938 to train Lithuanians and together with several other Lithuanian-Americans helped Lithuania win the European Championship in 1938. Edward Walter "Moose" Krause (Kriaučiūnas, 1913-1992), a well-known collegiate basketball player for Notre Dame, was a three-time All-American. In 1976, he was enshrined in the Basketball Hall of Fame.

Other Lithuanian-Americans distinguished themselves in sport during this period as well. In 1932, Jack Sharkey (Joseph Paul Žukauskas, 1902-1994) defeated Max Schmeling in their rematch to win the World Heavyweight Boxing Championship. Pete Gray (Peter Wyshner, 1915-2002), son of Lithuanian immigrant parents, played with the St. Louis Browns in 1945 and was the only one-armed man ever to play Major League Baseball.

A year after Jack Sharkey won the world heavyweight boxing title, Lithuanians on both sides of the Atlantic waited in great anticipation for the successful outcome of the historic transatlantic flight of Darius and Girėnas. Both Steponas (Stephen) Darius (1896-1933) and Stasys (Stanley) Girėnas (1893-1933) emigrated from Lithuania in the first decade of the 20th century and both served in the U.S. Army during World War I. On July 15, 1933, they attempted a nonstop flight from New York City to Kaunas, Lithuania – a total of 4,465 mi. (7,186 km.), in a single-engine Bellanca CH-300 Pacemaker airplane named *Lituanica*.

After successfully crossing the Atlantic in 37 hours and 11 minutes of nonstop flight, and about 500 miles short of their final destination, they crashed on July 17 near Soldin, Germany (now Pszczelnik, Poland) due to circumstances never fully explained. Both pilots died in the crash. Nevertheless, their flight made history. Lituanica carried the first transatlantic air mail consignment in history, and even though they did not have modern navigational equipment, and flew under unfavorable weather conditions, their flight was one of the most precise in aviation history. Some claimed it equaled, and in some aspects surpassed, Charles Lindbergh's classic flight of 1927. Monuments have been erected to them in the United States, Poland, and Lithuania. Many place names bear their names.

Emigration from Lithuania almost ceased during World War I and then was reduced to a trickle by restrictive U.S. immigration laws and quotas passed in the 1920s. For example, in 1929, Lithuania was limited to 366 immigrants. According to the Lithuanian consul in Washington, illegal immigration increased to about 1,000 annually. The Great Depression of the 1930s further limited emigration.

Lithuania participated in the World's Fairs in Paris (1937) and in New York (1939), where it presented a pavilion dedicated to its 21 years of independence, with the idea of reacquainting the diaspora with their motherland. A very impressive Lithuanian Day took place at the fair on September 10. A parade of war veterans and several thousand members of choral groups were led by five Lithuanian drum, fife, and bugle corps to the Lithuanian Pavilion, where a program of songs and folk dances was performed. Crowd estimates ranged from 75,000 to 100,000 persons. This was the last grand celebration of the first wave of Lithuanian immigrants. The outbreak of World War II forced the Lithuanian government to close its pavilion.

## The Second Wave (1940-1989)

The specter of war in Europe brought fear and dread into the minds and hearts of Lithuanians everywhere. Would Lithuania again become a thoroughfare for armies from the West and the East? How could Lithuania maintain its hard-won independence? Few knew that the fate of Lithuania and most countries of Eastern Europe had already been decided in August of 1939 by Nazi Germany and the Soviet Union and sealed in the secret protocols of the Molotov-Ribbentrop Pact. This nonaggression treaty divided Europe into German and Soviet spheres of influence. There was much secret bargaining over the territory of Lithuania, but in the end it became part of the Soviet sphere. As a result, Soviet troops occupied Lithuania on 15 June 1940 and began paving the way for Lithuania's forceful annexation and incorporation into the USSR. A year later Lithuania was occupied by Germany and, after the retreat of the German army in 1944, re-occupied by the Soviet Union.

Lithuania suffered a great deal as a result of the war and the Soviet and German occupations. It lost about 190,000 of its Jewish citizens in the Holocaust – 91% of its vibrant pre-World War II community. Hundreds of thousands of Lithuanians were killed by the Soviets or sent to exile in Siberia, where most died horrible deaths in the forced labor camps of the Gulag. Others were sent to German forced labor camps and still others fled to Western countries. More than 20,000 partisans were killed in the forests of Lithuania or captured and executed for resisting Soviet occupation from 1944 to 1952.

Of those who fled to the West, most went to live in refugee camps in Austria and Germany and from there to the United States after the passage of the Displaced Persons Act of 1948. They numbered around 30,000 and formed the second major wave of immigrants. Many of them were sponsored by the United Lithuanian Relief Fund of America, which was established in 1944 and finally closed in 2008.

But Lithuanian-Americans did not wait for the end of the war to spring into political action on behalf of their native country. A month after the Soviets occupied Lithuania, a conference of Catholic leaders meeting in Philadelphia established the Council to Aid Lithuania *(Lietuvai Gelbėti Taryba)*, which in 1941 changed its name to the Lithuanian American Council *(Amerikos Lietuvių Taryba)*. The Council established the Lithuanian American Information Center in New York City in 1944 in order to maintain media and government contacts and to inform the world about developments in Soviet-occupied Lithuania.

The Council and other Lithuanian-American groups sent delegations to the White House and the State Department to protest the Soviet occupation of the Baltic States and persuaded President Eisenhower to endorse their initiative for a Congressional investigation of the Soviet seizure and occupation of the three Baltic States. A Select Committee of the House of Representatives was created in July of 1953. The Committee, headed by Cong. Charles J. Kersten (R-Milwaukee), heard hundreds of witnesses and published several volumes of hearings. The Committee also authorized preparation of a report on the Baltic States – Baltic States: A Study of their Origin and National Development, Their Seizure and Incorporation into U.S.S.R. (1954) – known as the Kersten Report, which for a long time was the best reference and survey work available on the Baltic States.

The Council was also instrumental in gaining representation on the Committee for a Free Europe, the institution of Voice of America Lithuanian-language broadcasts, and the observance of Lithuanian Independence Day in the United States Senate and House of Representatives.

The post-Second-World-War immigrants, for the most part, were well-educated professionals – lawyers, engineers, physicians and other health professionals, academics, teachers, bankers, business people, factory owners, civil servants, writers, poets, artists, publishers, actors, and musicians – in other words, members of the middle class or the "bourgeoisie" that communism was determined to eliminate. They were European in orientation. America in many ways was a strange land to them. Few knew the language well and therefore, at first, could not get jobs in their fields or professions.

For the second-wavers, maintaining national, cultural and self-identity was paramount. Lithuania was occupied by the Soviets and was being intensively Russified. In the United States the danger was assimilation. They wanted to build a "Lithuania away from home." So instead of joining existing American-Lithuanian organizations, for the most part, they re-established organizations to which they had belonged in the homeland – the Boy and Girl scouts; fraternal organizations, such as Korporacija Neo-Lithuania; Catholic youth organizations, such as Ateitininkai, sports clubs, and others. They also established their own professional organizations, cultural and scholarly institutes, museums and archives of Lithuanian culture, library collections, art galleries, youth centers, cultural centers, radio programs, Lithuanian heritage schools, youth camps, and even a Lithuanian Opera Company (1957), a television program (*Lietuviai televizijoje,* 1966-1978), and an endowed Chair in Lithuanian Studies at the University of Illinois (1981) in Chicago.

In 1951 a national unifying organization was formed to preserve and promote the cultural heritage of Lithuania in the United States. With districts and chapters throughout the United States and with a national board, the Lithuanian American Community, Inc. *(JAV Lietuvių Bendruomenė)* operates on the local and national levels. On the local level, it organizes cultural events and commemorations; sponsors cultural clubs, sports clubs, exhibits, lectures, and concerts; supports Lithuanian Saturday Schools. On the national level, it organizes cultural and scholarly congresses and theater festivals, sponsors various contests, gives out cultural awards, and every four years organizes national song and dance festivals. Its Social Services Council seeks to provide services (information, legal, and medical) to individuals of Lithuanian descent requiring assistance. The Lithuanian Youth Association *(Lietuvių Studentų Sąjunga)* is an affiliate organization and prides itself on having established the quarterly *Lituanus* (1954), the first Lithuanian journal in the English language whose purpose is to inform non-Lithuanian scholars about Lithuania and the other Baltic countries.

An endowment fund (Lithuanian Foundation, Inc.) was established in 1960 to support Lithuanian cultural and educational activities. By 1974, through generous contributions and bequests, the Foundation's capital fund had surpassed $1,000,000. Since its inception, the Foundation has advanced its goals by awarding nearly $14,000,000 in grants and scholarships. The fund has grown to a current market value of over $15,000,000.

The major political organizations were the Supreme Committee for the Liberation of Lithuania *(Vyriausias Lietuvos Išlaisvinimo Komitetas – VLIK)* and the Lithuanian American Council *(Amerikos Lietuvių Taryba – ALT)*. VLIK was created in German-occupied Lithuania in 1943 as a result of the underground political activities of various political parties and groups which felt the need for a supreme political committee to direct and coordinate their efforts to liberate Lithuania from Nazi rule. When the second Soviet invasion seemed imminent, the Supreme Committee went into exile – first to Germany in the summer of 1944 and then to New York City in 1955. In the U.S., one of its main tasks was to preserve the policy of non-recognition of Lithuania's occupation and to spread information about the exploitation carried out by the Soviet Union in the occupied Baltic States. Its members participated in international conferences at which they spoke in the name of Lithuania and declared Lithuania's right to freedom and independence.

Other politically active groups were the Committee for a Free Lithuania, which was closely tied to the Lithuanian Diplomatic Service and was an affiliate of the Committee for a Free Europe and member of ACEN (Assembly of Captive European Nations), and the Catholic organization, Friends of the Lithuanian Front *(Lietuvių Fronto Bičiuliai)*.

All of these and other organizations worked tirelessly for the cause of Lithuania's liberation, to keep alive Lithuania's nationhood and cultural heritage. They lobbied Congress, the White House, the State Department and other government agencies. They organized conferences as well as mass protest meetings and demonstrations. Every year since 1958, they commemorated Captive Nations Week. They published and circulated in the West underground literature from Lithuania such as the *Chronicles of the Catholic Church in Lithuania*. They worked together with other Baltic groups within such organizations as the Joint Baltic American National Committee (JBANC) and the Baltic Appeal to the United Nations (BATUN).

The Lithuanian press continued to play a critical role in the cultural, social, and political life of Lithuanian-Americans and took on new urgency in the struggle to liberate Lithuania from Soviet occupation. After 1945 several new newspapers and over thirty new magazines and journals began publication. Some were serious scholarly publications. In 1976, twelve Lithuanian-language newspapers and forty-two journals and magazines were being published in the United States. Nearly one hundred books a year were also being published. The crowning achievement in publication was the establishment in Boston in 1953 of the Lithuanian Encyclopedia Press, which published the 36-volume *Lietuvių Enciklopedija* (Lithuanian Encyclopedia), the 6-volume English-language *Encyclopedia Lituanica* and other literary works. They remain unsurpassed as reference works regarding Lithuanian history, especially the history of the Lithuanian diaspora.

Sports played an important unifying social role. Unlike the first-wavers, who mostly joined American teams, the second-wavers organized their own sports clubs and organizations. They began doing this already as refugees in West Germany and Austria. In 1947, in Augsburg, West Germany, they organized the Committee for Physical Education and Sports *(Fizinio Auklėjimo ir Sporto Komitetas,* or *FASK)* to coordinate the activities of some 30 sports clubs. The Committee continued its work in the United States where it joined the Amateur Athletic Union. The organization later expanded to include Lithuanian teams and athletes from Canada and since 1965 has been called the Lithuanian Athletic Union of North America *(Šiaurės Amerikos Lietuvių Fizinio Auklėjimo ir Sporto Sąjunga,* or *SALFASS)*. Among its accomplishments was the organization of international basketball tournaments among Lithuanians living on different continents (South America in 1959 and Australia in 1964) and of the World Lithuanian Sports Games.

Lithuanian-Americans also actively participated in U.S. athletics. They were particularly successful in professional baseball and football. Some of the stars were: baseball all-stars Eddie Waitkus, who inspired the movie The Natural starring Robert Redford, Al Kaline (Kalinauskas) of the Detroit Tigers, and Johnny Podres (Poderys) of the Brooklyn and Los Angeles Dodgers; the National Football League Hall of Famers Dick Butkus (linebacker) and Johnny Unitas (quarterback); the tennis great Vitas Gerulaitis; and the current team captain of the Cleveland Browns football team, the wide-receiver Joe Jurevicius.

Americans born in Lithuania or of Lithuanian descent also made major contributions to the arts and sciences in the United States. Among the notables: actors Charles Bronson, Rūta Lee and Ann Jillian, anthropologist Birutė Galdikas, archeologist Marija Gimbutas, architect Algimantas Bublys, astrophysicist Sallie Baliunas, avant-garde film maker Jonas Mekas, initiator of the "Fluxus" art movement George Maciunas, film director Robert Zemeckis, science fiction writer Algis Budrys, physicist Algirdas Avižienis, poet Tomas Venclova, and sociologist Vytautas Kavolis.

In politics, Majority Whip of the U.S. Senate Richard Durbin (D-IL), Congressman John Shimkus (R-IL), and Michigan Republican Party Chairman Saulius Anužis have Lithuanian roots.

Stanley Bender, a Lithuanian, was awarded the highest military award of the United States, the Congressional Medal of Honor, for his bravery in World War II.

U.S. Navy Rear Admiral Fred E. Bukatis, a World War II naval Air Ace, received the Navy Cross, the second highest U.S. Navy decoration. He also helped explore Antarctica and took part in four Apollo space mission recoveries for which he was awarded the National Aeronautics and Space Administration's Exceptional Service Medal.

Colonel Anthony B. Herbert (Arbutis) was the most decorated U.S. Army enlisted man in the Korean War. Among his many medals was the Silver Star, the third highest combat decoration. He also served four tours in Vietnam.

Lithuania was historically home to a large and influential Jewish community that was almost entirely eliminated by the Holocaust. Many Lithuanian Jews (known in Yiddish as Litvaks) came to the United States, especially at the turn of the 20th century. They and their descendents have made significant contributions to many fields in the United States. They include the fashion designers Lane Bryant and Beth Levine, the composers Aaron Copeland and Philip Glass, the singer-songwriters Al Jolson and Bob Dylan, the violinists Jascha Heifetz and Paul Zukofsky, the philosopher Aron Gurwitsch, the sculptor Jacques Lipchitz, the slapstick comedy team The Three Stooges (the Horwitz brothers), and the Nobel Prize winners Bernard Lown and Andrew Schally.

## The Third Wave

A new era in the political and national life of Lithuania began to dawn in June of 1988 with the birth in Vilnius of the Lithuanian independence movement *Sajudis* - short for *Lietuvos persitvarkymo sajudis* (the Reform Movement of Lithuania). Conditions for this and other similar movements in the Baltics were created a year earlier by Mikhail Gorbachev, the General Secretary of the Communist Party of the Soviet Union, when he announced his program for economic reform *(perestroika)* and openness *(glasnost)*. Led by intellectuals and supported by the majority of the people, Sajudis was able to influence the Lithuanian Supreme Soviet to pass constitutional amendments on the supremacy of Lithuanian laws over Soviet legislation, annul the 1940 decisions proclaiming Lithuania part of the USSR, legalize a multi-party system, and adopt a number of other important decisions, including the return of the national state symbols – the flag and the anthem.

The massive meetings organized by *Sajudis* were characterized by the waving of flags, inspirational political speeches and the singing of patriotic songs which prompted the American press to call this "the singing revolution." On this side of the Atlantic, Lithuanian-Americans organized large demonstrations in Washington, D.C., and other major cities in solidarity with their compatriots in Lithuania. As a result of this "singing revolution," Lithuania became the first republic to declare its independence from the Soviet Union on March 11, 1990.

The first new immigrants started coming in 1988. Some were dissidents persecuted by the Soviet secret police, the KGB. Others were fleeing conscription into the Soviet Army. The Soviet Army did not leave Lithuania until 1993. At first emigration was a trickle, but after March 11, 1990, when Lithuania declared its independence from the Soviet Union, it became a wave.

The main reason for emigration has been economic hardship: low wages, unstable workplaces, unemployment (especially in agriculture), increasing poverty, downsizing, restrictive regulations governing private businesses, laws changing the pension age, and, probably most important, uncertainty about the future. In this regard, they most resemble the early first-wave immigrants. Many of the new third-wave immigrants came with a green card, while many others arrived here illegally.

Those that have come to date are of different educational backgrounds – workers, white-collar employees, managers, intellectuals, dancers, musicians, artists, farmers, and entrepreneurs. For the most part they are young people.

The new immigrants have already established two weekly newspapers of their own – *Amerikos Lietuvis* (The Lithuanian American) and *Vakarai* (The West), which address their interests in lifestyles, culture, sports and work opportunities in the United States. In these newspapers, one finds increasingly more advertisements for Lithuanian physicians, dentists, optometrists, insurance brokers, financial advisers, bankers, and information technology specialists. The establishment of a Lithuanian Rotary Club in Chicago indicates the vibrancy of the new immigrant community.

The new immigrants send much of their hard-earned money to Lithuania to support their families. Some estimate that the amount is about 3% of Lithuania's gross domestic product, which would be more than Lithuania receives from the European Union.

Sports have played a particularly important role in bringing the new immigrants together. In Chicago they created two sports leagues of their own – basketball and soccer – with eight teams each. Three Lithuanian players are currently playing professional basketball in the NBA: Žydrūnas Ilgauskas (Cleveland Cavaliers), Linas Kleiza (Denver Nuggets), and Darius Songaila (Washington Wizards). Lithuanian ballroom dancers are also experiencing professional success in the United States.

The exact number of new immigrants to date is hard to determine and differs from official estimates because of the many illegal immigrants. Rough estimates are in the range of 250,000. According to the 2000 U.S. Census, there are about 660, 000 Americans of full or partial Lithuanian descent. Estimates by Lithuanian researchers indicate about a million.

However, some very prominent Lithuanian-Americans have returned to Lithuania to contribute their skills and expertise to the re-emerging nation. These include the current two-term President of Lithuania, Valdas Adamkus, and the former commander of the Lithuanian Army, Major General Jonas Kronkaitis.

The new immigrants are starting to take more interest in maintaining their Lithuanian heritage as they face the pressures of assimilation in America. They are getting more involved in Lithuanian-language Saturday schools for their children, folk singing and dance groups, as well as other cultural activities. They are slow to join the cultural and political organizations established by the earlier Lithuanian immigrants, but they are creating their own. Of course, now the internet, which was not available to the earlier immigrants, facilitates communication and maintaining ties with friends and family in the United States, Lithuania and throughout the world.

The United States is a land of immigrants. Immigrants have built this country and continue to build it. Immigrants from Lithuania have played and continue to play their role in the American story.

Dvidešimto šimtmečio pradžioje Amerikon atvyko daug jaunų lietuvių, kurie čia susipažinę tuokėsi. Jonaitytės vestuvės 1907 m. Minersville, PA.

Early in twentieth century many young Lithuanians came to America who met and married here. The wedding of Miss Jonaitis in 1907. Minersville, PA

A. LUKAS PHOTO ARCHIVE

Jaunos šeimos kartais pergyvendavo mirties tragedijas. Marė ir jos vyras Dapkūnas (dešinėje) laidoja savo kūdikį 1907 m. Minersville, PA

Young families sometimes experienced the tragedy of death. Marė and her husband Dapkūnas (on the right) at the funeral of their child in 1907. Minersville, PA

A. LUKAS PHOTO ARCHIVE

BALZEKAS MUSEUM OF LITHUANIAN CULTURE

Lietuviai, kaip ir kiti imigrantai, steigė savo parduotuves. Stanley (Stasio) Balzeko mėsos ir produktų parduotuve Čikagoje 1916 m.

Lithuanians, as other immigrants, opened their own stores. A grocery and meat store owned by Stanley Balzekas in Chicago, 1916

ALKA - AMERICAN LITHUANIAN CULTURAL ARCHIVES

Jauni imigrantai greitai išmoko ir pamėgo Amerikos sportus. Worcester, MA, lietuvių „Ritierių" beisbolo komanda, 1916 m.

The young immigrants soon learned and adopted American sports. A Lithuanian "Knights" baseball team in Worcester, MA, 1916.

Nauji immigrantai būrėsi prie savo parapijų. Pirma komunija Šv. Antano parapijoj, Detroite, MI, 1922 m.

The new immigrants congregated around their parishes. The first communion at St. Anthony parish in Detroit, MI, 1922.

ALKA

Lietuvių parapijos rūpindavosi savo jaunimu. Šv. Pranciškaus parapijos jaunuolių beisbolo komanda, Lawrence, MA, 1930 m.

The Lithuanian parishes supported their youth. The St. Francis parish boys' baseball team in Lawrence, MA, 1930.

ALKA

CHARLES PANSIRNA ©PURDUE U. GALLERIES

Didelės lietuviškos sutuoktuvių vaišės su visa gimine ir draugais Čikagoje, 1929 m.

The big Lithuanian wedding dinner with all the relatives and friends in Chicago, 1929.

BALZEKAS MUSEUM OF LITHUANIAN CULTURE

Jokia šventė nebūtų sekminga be linksmo orkestro. Lietuvių pučiamųjų orkestras Čikagoje, 1933 m.

No festivity would be successful without a lively orchestra. A Lithuanian band in Chicago, 1933.

Amerikos lietuvis Jack Sharkey (Juozas Žukauskas), pasaulio sunkaus svorio bokso čiampionas, nugalėjęs Max Schmelling 1930m.

American Lithuanian Jack Sharkey (Juozas Žukauskas) became the world heavyweight boxing champion by defeating Max Schmelling in 1930.

ALKA

BALZEKAS MUSEUM OF LITHUANIAN CULTURE

Stasys Girėnas su savo giminėmis Čikagoje 1933 m., priešais lėktuvą „Lituanica", kuriuo jis ir Steponas Darius iš New Yorko bandė be sustiojimo nuskristi į Kauną.

Stasys Girėnas with his relatives in Chicago, in 1933, in front of "Lituanica" airplane with which he and Steponas Darius tried to fly non-stop from New York to Kaunas, Lithuania.

BALZEKAS MUSEUM OF LITHUANIAN CULTURE

Amerikos lietuviai, Steponas Darius ir Stasys Girėnas, prie savo lėktuvo 1933 m. Jie pakilo iš New Yorko 1933 m. liepos 15 d., skyrdžiui be sustojimo į Kauną. Perskridę Atlantą, jie tragiškai žuvo, kai jų lėktuvas nukrito Vakarų Prūsijoje, 650 km nuo Kauno.

American-Lithuanians, Steponas Darius and Stasys Girėnas, next to their airplane in 1933. They left New York on July 15, 1933, on a non-stop flight to Kaunas, Lithuania. After conquering the Atlantic they crashed in Western Prussia, 650 km from Kaunas, Lithuania.

Čiurlionio ansamblis iš Cleveland, OH, 1952 m. Vienas garsiausių lietuvių chorų Amerikoje, vadovaujamas dirigento Alfonso Mikulskio.

The Čiurlionis ensemble from Cleveland, OH, 1952. One of the most famous Lithuanian choruses in America directed by conductor Alfonsas Mikulsiks.

A. LUKAS PHOTO ARCHIVE

Amerikos lietuviai žygiuoja 1964 metų Pasaulinėje parodoje, New Yorke.

Parade of American Lithuanians at the 1964 World Fair in New York.

LITHUANIAN RESEARCH AND STUDIES CENTER

LITHUANIAN RESEARCH AND STUDIES CENTER

Pabaltiečių delegacija pas JAV prezidnetą Gerald R. Fordą 1975 m. tariasi Pabaltijo kraštų išlaisvinimo reikalais. Antras is kairės: dr. Kazys Bobelis, dr.Kazys Šidlauskas ir Teodoras Blinstrubas.
Baltic States delegation with President Gerald R. Ford in 1975 discussing the question of freedom for the Baltic states. Second from left: Dr. Kazys Bobelis, Dr. Kazys Šidlauskas and Teodoras Blinstrubas.

B. ČIKOTAS

Laisvos Lietuvos seimo pirmininkas Vytautas Landsbergis JAV Kongreso rūmuose, 1991m.
Chairman of the free Lithuanian Parliament, Vytautas Landsbergis at the US Capitol in 1991.

J. TAMULAITIS

Lietuviai Čikagoje sveikina seimo pirmininką Vytautą Landsbergį.
Chicago Lithuanians greeting Chairman of the Parliament Vytautas Landsbergis.

R. KONDRATAS

A. PAKŠTYS

B. ČIKOTAS

Lietuviai Amerikoje 1990-91 m. gausiai demonstravo Vašingtone ir kituose miestuose, siekdami Lietuvai laisvės ir nepriklausomybės pripažinimo.

Lithuanians in America, during 1990-91, conducted massive demonstrations in Washington, DC, and other cities seeking freedom and independence for Lithuania.

Leitinantas Samuel Harris, tarnavęs Lietuvos nepriklausomybės kovose su Amerikos savanorių brigada, buvo pašautas ir mirė Kaune 1920 m. Jis palaidotas Amerikos karių tautinėse kapinėse, Arlington, Virginia.

Lieutenant Samuel Harris, while serving with American volunteer brigade fighting for Lithuania's freedom was wounded and died in Kaunas, Lithuania, in 1920. He is buried at the Arlington National Cemetery, Arlington, Virginia.

T. DUNDZILA

T. DUNDZILA

Daug lietuviškų pavardžių galima rasti Vietnamo kare žuvusiems memorialinėje sienoje, Vašingtone, bei Amerikos karių kapinynuose.

Many Lithuanian names can be found on the Vietnam War memorial wall, in Washington, DC, and in many military cemeteries.

# LIETUVOS AMBASADA JUNGTINĖSE AMERIKOS VALSTIJOSE

# LITHUANIAN EMBASSY IN THE UNITED STATES OF AMERICA

# Lietuvos ambasada Jungtinėse Amerikos Valstijose

*Audrius Brūzga*

Lietuvos ambasada Vašingtone – tai pati seniausia Lietuvos diplomatų darbo vieta užsienyje, Lietuvos laisvės simbolis, padėjęs visiems lietuviams išsaugoti nepriklausomybės troškimą ir išgyventi penkiasdešimt sovietinės okupacijos metų iki Lietuvos valstybės atkūrimo. Ambasada pelnytai laikoma Lietuvos valstybingumo, jos diplomatinės tarnybos tęstinumo simboliu. Jos turtinga ir įvairi istorija įeis ne tik į Lietuvos, bet ir pasaulio diplomatijos istoriją.

Po Pirmojo pasaulinio karo atkūrus Lietuvos nepriklausomybę pats svarbiausias uždavinys, su kuriuo susidūrė nauja Lietuvos Respublika, buvo jos tarptautinis pripažinimas ir ekonominis stiprinimas. Suvokdama JAV reikšmę įtvirtinant Lietuvos valstybingumą, 1919 m. Lietuva į JAV pasiuntė pirmąjį savo atstovą Joną Vileišį. Lietuvos atstovui, neturinčiam diplomatinio statuso, 1920–1921 m. teko valstybinės svarbos ekonominė diplomatinė misija – organizuoti Lietuvos laisvės paskolos rinkimą tarp JAV lietuvių ir ruošti dirvą Lietuvos valstybės pripažinimui de jure.

J. Vileišio pradėtą darbą pratęsė Voldemaras Čarneckis (1921–1923). 1922 m. liepos 28 d. JAV vyriausybė pripažino Lietuvą de facto ir de jure. Tų pačių metų spalio 11 d. V. Čarneckis įteikė skiriamuosius raštus Valstybės departamentui. Ta diena laikoma oficialia Lietuvos atstovybės JAV veiklos pradžia. JAV pripažinus Lietuvą, jos Vyriausybei rūpėjo įsigyti pasiuntinybės pastatą. Lietuvos pasiuntinys Kazys Bizauskas (1923–1927) už 90 000 dolerių (dabar 1,1 millijonas dolerių) Vašingtono miesto 16-oje gatvėje Nr. 2622, NW, nupirko namą su dideliu, 17 000 kvadratinių pėdų (1580 kv.m.), žemės sklypu. 1924 m. birželio 1 d. pasiuntinybė buvo perkelta į naujas patalpas, kuriomis Lietuvos ambasada tebesinaudoja ir dabar.

Lietuvos atstovybės pastatas – itališko stiliaus vila su bokštu – buvo vienas iš keliolikos senatoriui John B. Henderson ir jo žmonai Mary Foote Henderson priklausiusių namų, suprojektuotų žinomo prabangių rezidencijų architekto George Oakley Totten, Jr (1866–1939). Būsimo Lietuvos atstovybės pastato statybos darbai vyko 1907–1909 m. Juos atliko George A. Fuller statybos bendrovė. Namas turėjo du frontoninius įėjimus. Dešinioji namo pusė – siauresnė, su penkių aukštų bokštu, o kairioji – platesnė, keturių aukštų. Apie 1950 m. keturaukštė namo dalis buvo nugriauta ir vietoj jos pastatytas daugiaaukštis. Dešinioji pusė, kurioje įsikūrė Lietuvos ambasada, iki šių dienų išlaikė pirminę išvaizdą.

Iki pastato pardavimo Lietuvos Vyriausybei pastate buvo įsikūrusios Švedijos ir Danijos pasiuntinybės, paskui jis buvo išnuomotas keliems užsienio šalių diplomatams, o 1924 m., Mary Foote Henderson sprendimu, parduotas Lietuvos Vyriausybei. Gavusi pirmą 5000 dolerių įmoką, vėliau kitas dalis atsisakė imti. Po jos mirties 1931 m., tvarkant Henderson palikimą, Lietuvos Vyriausybė galutinai atsiskaitė su jos turto paveldėtojais.

Po Kazio Bizausko Lietuvos laikinuoju reikalų patikėtiniu buvo pasiuntinybės darbuotojas Mikas Bagdonas (1927–1928 m. ir 1934–1935 m.), vėliau – Bronius Kazys Balutis (1928–1934), o nuo 1935 m. Lietuvos atstovo pareigas pradėjo eiti Povilas Žadeikis (1935–1957). Jis yra ilgiausiai dirbęs Lietuvos atstovas JAV, šias pareigas ėjęs iki mirties. P. Žadeikiui teko dirbti sudėtingu Lietuvos istorijos laikotarpiu, kai, po 1940 m. sovietų įvykdytos Lietuvos okupacijos, pasiuntinybė JAV sostinėje – Vašingtone – tapo vienu svarbiausiu Lietuvos diplomatinės tarnybos centrų, vykdančių atsakingą užduotį: nuolat kelti nepriklausomos Lietuvos bylos klausimą ir išlaikyti JAV nepripažinimo politiką okupuotos Lietuvos atžvilgiu.

1957–1976 m. Lietuvos laikinuoju reikalų patikėtiniu buvo Juozas Kajeckas, o nuo 1976 m. Lietuvos atstovo JAV pareigos perduotos dr. Stasiui Antanui Bačkiui (1976–1987). 1983 m. jis paskirtas Lietuvos diplomatijos vadovu. S. Bačkis yra vienas iš nedaugelio diplomatų, nuėjęs ilgą ir sunkų, daugiau kaip penkis dešimtmečius trukusį, Lietuvos diplomatinės tarnybos egzilyje veiklos laikotarpį.

Ant S. Bačkio pečių gulė ir dideli ūkiniai darbai. 1909 m. statytam pasiuntinybės namui būtinai reikėjo remonto. 1979 m. S. Bačkio pastangomis buvo sudarytas Lietuvos pasiuntinybės rūmų restauravimo komitetas. Šio komiteto, JAV Lietuvių Bendruomenės, Amerikos Lietuvių tarybos, įvairių organizacijų ir privačių asmenų dėka, surinkta 130 000 dolerių. Lėšų užteko visiems remonto darbams atlikti.

1987 m., susilpnėjus S. Bačkio sveikatai, Lietuvos pasiuntinybėje Vašingtone dirbęs patarėjas Stasys Lozoraitis jaunesnysis (1987–1993) perėmė Lietuvos atstovo pareigas. 1990 m. kovo 11 d. Lietuvai paskelbus nepriklausomybę, Lietuvos atstovybė tapo ambasada, o S. Lozoraitis paskirtas ambasadoriumi.

Į Vašingtoną atvykusiems pirmiesiems atstovams iš nepriklausomos Lietuvos – dr. Alfonsui Eidintui (1993–1997), Stasiui Sakalauskui (1997–2001), Vygaudui Ušackui (2001–2006) ir Audriui Brūzgai (nuo 2007 m.) - teko telkti JAV paramą Lietuvos valstybės stiprinimui, jos ekonominių reformų plėtrai, užsitikrinti palaikymą euroatlantinei integracijai. Ambasadoriams teko pasirūpinti ir pačiu ambasados pastatu, kuris, vyresniosios kartos diplomatų ir čia gyvenančių lietuvių dėka, daugiau nei penkiasdešimt metų tarnavo Lietuvos valstybei. 1994–1995 m. antrą kartą atliktas nuodugnus ambasados pastato remontas. Remonto darbams Lietuvos Užsienio reikalų ministerija skyrė 370 000 dolerių, taip pat gauta parama iš privačių JAV ir Lietuvos institucijų bei asmenų.

2004 m. nuspręsta atlikti pagrindinį Lietuvos ambasados remontą – restauruoti istorinį pastatą, išsaugant jo istorinę bei architektūrinę vertę, ir pristatyti priestatą, nes XX a. pradžioje statytas namas neatitiko šiuolaikinių statybos ir saugumo reikalavimų, be to, padidėjo ambasadoje dirbančių asmenų skaičius ir diplomatinės veiklos apimtis. Pagal ambasados perstatymo projektą, kurį parengė New Yorko architektų firmos TPG Architecture architektas Saulius Gečas, atnaujintos ambasados patalpų plotą sudaro 26 760 kv. pėdų (2488 kv.m) – iki pertvarkymo buvo apie 12 000 kv. pėdų (1116 kv.m). Ambasados pastato istorinė dalis yra paskirta reprezentacinėms reikmėms, o naujoje dalyje įrengti darbo kabinetai, konferencijų salė ir kitos patalpos.

Visų Vašingtone dirbusių diplomatų ir JAV Lietuvių Bendruomenės sutelktos pastangos padėjo mūsų šaliai įtvirtinti nepriklausomybę bei tarptautinį pripažinimą, pasitarnavo Lietuvai siekiant visateisės narystės Europos Sąjungoje ir Šiaurės Atlanto organizacijoje. Atsinaujinusios Lietuvos ambasados Vašingtone laukia nemažiau svarbūs uždaviniai – tarnauti Lietuvos valstybei ir jos žmonėms taip, kad Lietuva suklestėtų, kad demokratijos, laisvės, tolerancijos ir solidarumo vertybėmis grįstas Lietuvos ir Jungtinių Amerikos Valstijų bendradarbiavimas būtų naudingas, ir prasmingas.

# The Lithuanian Embassy in the United States of America

*Audrius Bruzga*

The Lithuanian Embassy in Washington, DC, is the longest-serving Lithuanian diplomatic mission abroad. A symbol of Lithuania's freedom, it assisted all Lithuanians in preserving their hopes for freedom and help them withstand fifty years of Soviet occupation until the reestablishment of the Lithuanian state. The embassy is considered a living symbol of the continuity of Lithuania's diplomatic service. Its rich and diverse story will leave its mark not only in the diplomatic history of Lithuania, but that of the entire world.

After reestablishing its independence following the First World War, the most important task for the new Lithuanian Republic was to gain international recognition and to strengthen its economy. In 1919, realizing the importance of the United States in securing international recognition of its statehood, Lithuania sent its first representative, Jonas Vileišis, to the United States. In 1920-21, the Lithuanian envoy, who did not have diplomatic status, faced important economic and diplomatic goals—organizing the collection of funds among Lithuanian-Americans and preparing the groundwork for the *de jure* recognition of Lithuania.

Voldemaras Čarneckis (1921-1923) continued Vileišis' work. On July 28, 1922, the United States recognized Lithuania *de facto* and *de jure*. On October 11th of that same year V. Čarneckis presented his credentials to the State Department. That date is considered the official start of the Lithuanian Legation's activities in the United States.

After received U.S. recognition, Lithuania sought to acquire a building for its legation. Lithuanian envoy Kazys Bizauskas (1923-1927) purchased a building at 2622 16th Street NW in Washington DC, for $90,000, on a large 17,000 square foot (1,580 square meter) plot of land. On June 1, 1924, Lithuanian diplomats moved into the new premises, which are still in use today.

The Lithuanian Legation building—an Italian-style villa with a tower—was one of the many homes owned by Senator John B. Henderson and his wife Mary Foote Henderson. It was designed by architect George Oakley Totten, Jr. (1866-1939) who was well-known for his exclusive residences. The future Lithuanian Legation building was built between 1907 and 1909 by the George A. Fuller Company. The building had two sections. On the right was a narrow one with a five-storey tower, while the left one was wider and had four storeys. The Lithuanian Legation occupied the right side of the building, which to this day maintains its original design. In about 1950, the four-storey section was demolished and replaced by a modern apartment building.

Until its sale to the Lithuanian government, the building housed the Swedish and Danish Missions in Washington and was later leased to other diplomats. In 1924, with the approval of Mary Foote Henderson, it was sold to the Lithuanian government. Having received the first $5,000 payment, Mrs. Henderson refused to accept further payments. When the Henderson will was filed after her death in 1931, the Lithuanian government settled the remaining debt with her heirs.

After the departure of Kazys Bizauskas, legation staff member Mikas Bagdonas (1927-1928 and 1934-1935) took over as Lithuanian Charge d'Affaires a.i. Later, Bronius Kazys Balutis (1928-1934) and Povilas Žadeikis (1935-1957) served as Lithuanian envoys. P. Žadeikis became the longest -serving Lithuanian diplomatic representative in the United States, having held the duties until his death in 1957. P. Žadeikis served during a complicated time in Lithuanian history. Following the 1940 Soviet occupation of Lithuania, the legation in Washington performed a key diplomatic role continuously raising the issue of Lithuania's independence and helping maintain the United States policy of non-recognition of the Soviet occupation of Lithuania.

Juozas Kajackas served as Lithuania's Charge d'Affaires a.i. between 1957 and 1976, when Dr. Stasys Antanas Bačkis (1976-1987) became Lithuania's envoy to the United States. In 1983 Dr. Bačkis was appointed Chief of the Lithuanian Diplomatic Service. S. Bačkis was one of the few diplomats to remain in Lithuania's diplomatic service in exile throughout the country's occupation that lasted more than five decades.

Dr. Bačkis faced the challenge of handling needed renovations of the embassy building. In 1979 he helped organize a committee that coordinated the process. The committee, the Lithuanian-American Community, the Lithuanian-American Council and other organizations and private donors collected $130,000, an amount sufficient for the purpose.

In 1987, when the health of S. Bačkis deteriorated, Stasys Lozoraitis, Jr. (1987-1993) a counselor at the legation took over the duties of Lithuanian envoy. When Lithuania declared independence on March 11, 1990, the Lithuanian Legation took on embassy status and S. Lozoraitis was named ambassador.

The first ambassadors from newly independent Lithuania to serve in Washington, DC, were Dr. Adolfas Eidintas (1993-1997), Stasys Sakalauskas (1997-2001), Vygaudas Ušackas (2001-2006) and Audrius Bruzga (since 2007). They all sought to win the support of the United States for strengthening the Lithuanian state, expanding its economic reforms and guaranteeing support for its Euro-Atlantic integration.

The ambassadors were also responsible for the actual embassy building which, thanks to generations of diplomats and Lithuanian-Americans, had served Lithuania for more than 50 years. The building underwent a thorough remodeling in 1994-95, funded by a $370,000 Foreign Ministry grant and by individual and institutional donors in Lithuania and the United States.

In 2004, it was decided to launch another fundamental reconstruction of the embassy. This involved restoration of the existing structure, while preserving its historic and architectural character, and building an annex.

Constructed in the early years of the 20th century, the building could not easily meet today's structural and security requirements or accommodate the needs of an enlarged diplomatic staff. According to the renovation plans submitted by Saulius Gečas of New York's TPG Architecture firm, the embassy would be expanded from 12,000 square feet to 26,760 square feet. The restored historical structure will be used for ceremonial and formal activities, while the new annex will house administrative offices, conference rooms, and other quarters.

The joint efforts of the Lithuanian community in the United States and of all the Lithuanian diplomats who served in Washington have helped Lithuania to strengthen its independence and win international recognition. They have also helped Lithuania in its quest for full-fledged membership in the European Union and NATO. Equally important tasks await Lithuanian diplomats today. They include the need to serve the Lithuanian nation and its people to enhance Lithuania's security and prosperity. The embassy will spare no efforts to assure that cooperation between Lithuania and the United States based on the values of democracy, freedom, tolerance, and solidarity will continue to be productive and meaningful.

Lietuvos ambasados Amerikoje pastatas, statytas 1909 m. Jį Lietuvos Respublika nupirko 1924 m.

The Lithuanian embassy building in America was built in 1909. It was acquired by the Republic of Lithuania in 1924.

I. LUKAVIČIUTĖ

*Embassy of the Republic of Lithuanian, 2622 16th Street, NW, Washington, DC*

Priimamasis kambarys ambasados senajame pastate.
Reception room in the original embassy building.

I. LUKAVIČIUTĖ

Pasaulinio garso Vilniaus styginio kvarteto koncertas ambasadoje 2009 m.
A concert by the world renowned Vilnius String Quartet at the embassy in 2009.

Ambasados valgomasis svečiams.
Formal dining room at the embassy.

*Embassy of the Republic of Lithuanian, 2622 16th Street, NW, Washington, DC*

THE SWEDISH AND DANISH LEGATIONS, SIXTEENTH STREET,
N. W., WASHINGTON, D. C.

MR. GEORGE OAKLEY TOTTEN, JR., ARCHITECT

The central two of those shown in the group picture. The fronts of these houses are of Indiana limestone with carved ornamental work. The sides are of limestone and imitation stone. The upper floor of the tower of the house at right has been designed as a sun parlor. The central hall of house at left is finished in Caen stone. The salon on second floor is finished in white.

THE AMERICAN ARCHITECT PHOTO, 1911

Lietuvos ambasados pastatas (dešinėje) prieš 1924 metus.
Lithuanian Embassy building (on the right) before 1924.

Naujas ambasados priestatas iš kiemo puses.
The new embassy addition from the rear.

D. BARYSAITĖ

2007 m. remontuojamame ambasados pastate Lietuvos užsienio reikalų ministras Petras Vaitiekūnas ir prezidentas Valdas Adamkus įmūrija kapsulę su laišku ateities kartoms. Dešinėje – laukiamasis kambarys naujame priestate.

In 2007, Lithuania's Foreign Affairs Minister Petras Vaitiekūnas and President Valdas Adamkus place a capsule with a letter to future generations. On the right – the waiting room in the new embassy addition.

*Embassy of the Republic of Lithuanian, 2622 16th Street, NW, Washington, DC*

K. VAŠKELEVIČIUS

2004 m. kovo 29 d. Vašingtone, Baltuosiuose rūmuose, Lietuvos ministras pirmininkas Algirdas Brazauskas (trečias iš kairės) dalyvauja Lietuvos ir kitų šalių įstojimo į NATO iškilmėse. Prezidentas George W. Bush, vadovavęs šioms iškilmėms, stovi viduryje.

On March 29, 2004 in Washington, at the White House, Lithuanian Prime Minister, Algirdas Brazauskas (third from the left) participates at Lithuania's and other countries' ascension ceremony to NATO. President George W. Bush is in the center.

K. VAŠKELEVIČIUS

Senatoriai Joseph Biden, John McCain ir ambasadorius Vygaudas Ušackas Lietuvos Nepriklausomybės minėjime ambasadoje 2005 m.

Senators Joseph Biden, John McCain and Ambassador Vygaudas Ušackas during Lithuania's Independence Day celebration at the embassy in 2005.

A. KALNINA

2008 m. spalio 17 d. prezidentas George W. Bush paskelbia apie Lietuvos įtraukimą į JAV vizų atsisakymo programą. Dešinėje ambasadorius Audrius Brūzga.

On October 17, 2008, President George W. Bush announces that Lithuania will be included in the Visa Waiver Program. On the right is Ambassador Audrius Brūzga.

# LIETUVIŲ KULTŪROS CENTRAI

# LITHUANIAN CULTURAL CENTERS

# Lietuvių kultūros centrai

*Danutė Bindokienė*

Lietuviai imigrantai, dar prieš Pirmąjį pasaulinį karą atvykę į Ameriką, nepaisant sunkių įsikūrimo sąlygų, ieškojo dvasinės atgaivos. Pirmieji kultūros centrai buvo lietuviškosios parapijos, nes prie jų kūrėsi mokyklos ir glaudėsi organizacijos. Parapijų salėse klestėjo gyvastinga kultūrinė veikla: buvo ruošiami koncertai, vaidinimai, paskaitos, parodos bei kiti renginiai.

Kai kurios lietuviškos organizacijos įsigijo nuosavas patalpas. Pavyzdžiui, Lietuvių piliečių klubas (Boston, Massachusetts), Vytauto Didžiojo šaulių rinktinės namai (Chicago, Illinois), Lietuvių tautiniai namai (Los Angeles, California), Lietuvių klubas (Waterbury, Connecticut), Lietuvių piliečių klubas (Pittsburgh, Pennsylvania) ir kiti. Laikui bėgant, susilpnėjus organizacijų veiklai arba pasikeitus apylinkės gyventojams, kai kurie pastatai perėjo į kitataučių rankas, kai kuriuose dar žybsi veiklos kibirkštėlės. Tačiau lietuviškos parapijos, kaip kultūros centrai, daug kur išliko iki šių dienų.

Savus kultūros centrus pradėjo kurti ir po II pasaulinio karo į Ameriką atvykę lietuviai. Kai kuriuose lietuvių telkiniuose jie prisiglaudė ir atgaivino lietuvišką veiklą anksčiau įsteigtuose kultūros centruose, kitur, susibūrus gausesnei lietuvių bendruomenei, statė naujus. Pokarinių imigrantų telkiniuose buvo įkurtos šeštadieninės lietuviškos mokyklos, jaunimo organizacijos, chorai, tautinių šokių rateliai, meno galerijos, bibliotekos, muziejai ir archyvai. Veikė visuomeninės ir politinės organizacijos. Tarp žymiausių pasiekimų, kurie vystėsi kultūrinių centrų prieglobstyje, buvo tautinių šokių ir dainų šventės, Mokslo ir kūrybos simpoziumai bei Lietuvių opera Čikagoje, neseniai šventusi savo 50 m. veiklos sukaktį.

Čia yra paminėti kai kurie svarbesniAmerikos lietuvių kultūros centrai.

## Baltimore, Maryland – Lietuvių namai

Baltimorės mieste lietuviai gyvena nuo maždaug 1884 metų - tai vienas seniausių lietuviškų telkinių. 1887 metais jie įsteigė savo parapiją, o kultūriniams renginiams ir kitoms reikmėms 1914-1921 metais įsigijo triaukščius namus ir juose įkūrė kultūros centrą, pavadindami jį Lietuvių namais. Šie Lietuvių namai labai daug prisidėjo prie lietuvybės išlikimo. Po II pasaulinio karo atvykę lietuviai taip pat įsijungė į Lietuvių namų veiklą. 1978 metais čia atidarytas muziejus, kuriame sukaupta nemažai įdomių eksponatų, tarp jų – Henry L. Gaidžio unikali Lietuvos kariuomenės uniformų, ženklų ir ginklų kolekcija. Tačiau nemažiau dėmesio verta yra biblioteka. Veikianti nuo 1908 metų, ji laikoma pirmąja viešąja lietuvių biblioteka Amerikoje. Bibliotekoje yra labai senų, retų knygų, išleistų XIX a. pabaigoje, bet nestokojama ir naujų leidinių. (Lietuvių namai, 853 Hollins St., Baltimore, Maryland, 21201-1003)

## Boston, Massachusets – Lietuvių piliečių klubas

Bostono miesto pietiniame rajone, kur gyveno daugiausia lietuvių, jau 1899 metais susibūrė Pietinio Bostono Lietuvių piliečių sąjunga, vienu metu turėjusi iki 1 300 narių. 1950 metais sąjunga nusipirko keturių aukštų pastatą, kuriame įrengtos dvi salės, tinkamos koncertams ir kitiems renginiams, bei mažesni kambariai įvairių organizacijų įstaigoms, susirinkimams, posėdžiams. Tai buvo pagrindinis Bostono lietuvių kultūros centras. Lietuviams išsikėlus iš Pietinio Bostono, klubas tebegyvuoja, bet jo veiklos apimtis žymiai mažesnė. (Bostono Piliečių klubas, 368 West Broadway, South Boston, Massachusets 02127 )

## Chicago, Illinois – Balzeko Lietuvių kultūros muziejus

Čikagos verslininkas ir žymus lietuvių veikėjas Stanley Balzekas, jaunesnysis, 1966 metais įkūrė Lietuvių kultūros muziejų iš jo šeimos asmeniškai surinktų istorinių, tautodailės, numizmatikos ir kitų kolekcijų. 1986 m. muziejus perkeltas į didesnes patalpas. Jame yra per 40 000 knygų biblioteka, ypač Lietuvos ir Rytų Europos istorijos temomis. Bibliotekoje taip pat laikomi 10 000 brošiūrėlių ir kitokios smulkios literatūros rinkiniai. Veikia geneologijos skyrius, vaikams muziejus; vyksta įvairios nuolatinės ir laikinos parodos: „Lietuva per amžius", apimanti Lietuvos istoriją nuo priešistorinių iki dabartinių laikų, lietuvių dailininkų ir liaudies meno rinkiniai, pokarinė Lietuvos partizanų kovų paroda. Sukaupta daug nuotraukų iš lietuvių išeivių gyvenimo, lietuviškos muzikos, žemėlapių, numizmatikos ir kitokių įdomių rinkinių. (Balzeko Lietuvių kultūros muziejus, 6500 S. Pulaski Road, Chicago IL 60629)

## Chicago, Illinois – Jaunimo centras

Čikagos lietuvių veikla, ypač sustiprėjusi į Ameriką po II pasaulinio karo pabaigos atvykus daugybei lietuvių, stokojo erdvesnių nuosavų patalpų. 50-ojo dešimtmečio viduryje tėvai jėzuitai nutarė įkurti centrą, kuris patenkintų didžiąją dalį lietuviškos veiklos reikmių. Lietuvių visuomenė šiam projektui pritarė, gausiai aukojo lėšas ir 1957 metais pietinėje Čikagos miesto dalyje išaugo didingas pastatų kompleksas: jėzuitų vienuolynas, koplyčia ir Jaunimo centras, kuriame buvo patalpos švietimui, visuomeninei bei kultūrinei veiklai. Toji veikla Jaunimo centre tebegyvuoja iki mūsų dienų, nors apylinkėje lietuvių nedaug liko.

Centre veikia lietuviška šeštadieninė mokykla, M. K. Čiurlionio galerija, Pedagoginis lituanistikos institutas, biblioteka, Lituanistikos tyrimo ir studijų centras, Pasaulio lietuvių archyvas, Muzikologijos archyvas, fotoarchyvas ir kiti archyvai. M. K. Čiurlionio galerijoje ne tik nuolat vyksta dailės parodos, bet taip pat knygų sutiktuvės, poezijos vakarai, koncertai, paskaitos. Prie Jaunimo centro sodelyje 1972 metais atidengto paminklo žuvusiems už Lietuvos laisvę ypatingų lietuvių tautai švenčių proga vyksta iškilmės, padedami vainikai. Sumažėjus Čikagoje tėvų jėzuitų skaičiui, didžioji dalis vienuolyno patalpų buvo pertvarkyta į lituanistinės mokyklos klases. Koplyčioje tebeaukojamos lietuviškos Mišios. (Jaunimo centras, 5600 S. Claremont Ave., Chicago, Illinois 60636)

## Cleveland, Ohio – Dievo Motinos Nuolatinės Pagalbos parapijos, Lietuvių centras

Tai tikra lietuviškos kultūros sala, kuri, šalia bažnyčios, turi kultūrinį centrą su salėmis, tinkančioms įvairiems renginiams ir sportui, mokyklos klases bei vienuolyno pastatą. Čia jaunimas sportuoja, repetuoja, džiugina savo tautiečius tautinių šokių ir dainų programomis. Nuo 1957 metų veikia Šv. Kazimiero šeštadieninė lituanistinė mokykla. Lietuvių centre yra prisiglaudusi ir Lietuvos garbės konsulato įstaiga. (Dievo Motinos Nuolatinės Pagalbos parapija, 18022 Neff Road, Cleveland, Ohio) 44119.

## Lemont (Chicago), Illinois – Ateitininkų namai

Lietuvių katalikų sąjunga „Ateitis" 1979 metais nupirko St. Vincent de Paul vienuolynui priklausiusį žemės plotą su dideliu, 1943 metais statytu, rezidenciniu pastatu, kuriame įsikūrė Ateitininkų namai. Namų pirmasis aukštas su nemaža sale ypač tinkamas rekolekcijoms, paskaitoms, knygų sutiktuvėms, suvažiavimams, susirinkimams, o sodelyje – ąžuolyne – vasaros metu vyksta gegužinės ir įvairios šventės. Ateitininkų namai tarnauja ne tik jų organizacijai, bet ir Čikagos bei apylinkių lietuvių visuomenei. (Ateitininkų namai, 12690 Archer Ave., Lemont, Illinois 60439)

## Lemont (Chicago), Illinois – Pasaulio lietuvių centras

Naujausias lietuvių kultūros centras įsteigtas 1989 metais netoli Lemont miestelio, Čikagos priemiestyje. Kadangi lietuviškos apylinkės Čikagoje tuštėjo, lietuviams keliantis į priemiesčius, nutarta steigti naują lietuvių kultūros centrą. JAV Lietuvių Bendruomenės (JAV LB) Lemont apylinkės rūpesčiu, Illinois valstijoje buvo įsteigta nepelno korporacija „Lithuanian Mission Center, Inc.", nupirktas 15 akrų (6 hektarų) žemės sklypas su jame buvusiu Šv. Andreas seminarijos pastatu (apie 125 tūkst. kv. pėdų – 11,600 kv. m) ir įkurtas Pasaulio lietuvių centras (PLC) bei Palaimintojo Jurgio Matulaičio lietuvių katalikų misija.

Centre veikia šeštadieninė lietuviška mokykla (turinti per 400 mokinių), Montessori mokyklėlė „Žiburėlis"; yra kelios įvairiems renginiams skirtos salės: Lietuvių fondo, Jaunimo sporto, didžioji salė, Bočių menė. Veikia Lietuvių dailės muziejus, Lietuvių tautodailės muziejus, Lietuvių skautijos archyvas, Vydūno fondo, Lietuvių fondo, Pasaulio Lietuvių Bendruomenės, JAV LB Socialinių reikalų tarybos skyrius ir posėdžių kambariai. Jaunimas gausiai naudojasi sporto salėmis, o lietuviškos organizacijos - kitomis centro patalpomis. PLC vyksta ne tik koncertai, susirinkimai, paskaitos, pobūviai, bet ir didieji renginiai, kaip Pasaulio lietuvių mokslo ir kūrybos simpoziumai. Tai labai judrus ir gyvastingas lietuvių centras. (Pasaulio lietuvių centras, 14911 127 Str., 60439 Lemont, IL)

### Los Angeles, California – Šv. Kazimiero parapijos, Kultūros centras ir Lietuvių tautiniai namai

Los Angeles mieste yra du lietuviški kultūros centrai: Šv. Kazimiero parapija ir Tautiniai namai, priklausantys Lietuvių tautinės sąjungos Los Angeles skyriui. Namai įsigyti 1961 metais. Juose tebešvenčiamos tautinės šventės, vyksta susirinkimai, pokyliai, jaunimo renginiai. Tačiau gyviausia lietuviška veikla reiškiasi prie Šv. Kazimiero parapijos esančioje salėje: čia ruošiamos knygų sutiktuvės, koncertai, paskaitos, vaidinimai, pasilinksminimai. Prie parapijos 1960 metais pastatytas pastatas, kuriame įkurta lituanistinė Šv. Kazimiero vardo mokykla. (Šv. Kazimiero bažnyčia, 2718 Saint George St., Los Angeles, CA 90027; Lietuvių Tautiniai Namai, 3352 Glendale Blvd., Los Angeles, CA 90039)

### Philadelphia, Pennsylvania – Lietuvių muzikos salė.

2007 m. gruodžio 31 d. Philadelphijos Lietuvių muzikos salė, arba Lietuvių namai, šventė savo 100 metų gyvavimo sukaktį. 1907 metais buvo įkurta „Lietuvių muzikos namų" bendrovė (Lithuanian Music Hall Association) ir sudarytas lėšų statybai rinkimo komitetas; statyba užbaigta ir atidarymo iškilmės buvo švenčiamos 1909 m. gruodžio 31 d. Lietuvių muzikos salėje tebevyksta daug kultūrinių bei visuomeninių renginių. Muzikos salės rūsyje įkurtas Čiurlionio kultūros kambarys su biblioteka ir tautodailės muziejumi. Apylinkėje lietuvių jau nedaug, bet į „savuosius namus" įvairiomis progomis suvažiuoja tautiečiai iš tolimesnių vietovių. (Lietuvių Muzikos Salė, 2715 E. Allegheny Ave., Philadelphia, Pennsylvania 19134)

### Pittsburgh, Pennsylvania – Lietuvių salė

Pirmieji lietuviai atsikėlė į Pittsburgą 1871-1874 metais. Tarp 1930 ir 1960 metų čia gyveno apie 7 000 lietuvių kilmės žmonių. 1911 metais susivienijo trys lietuvių organizacijos ir įsteigė vakarinės Pennsylvanijos lietuvių piliečių draugiją, kuri 1927 metais nusipirko Birmingham Turner Hall pastatus su didele teatro ir šokių sale, posėdžių kambariu ir šalia esančiu baru. Salė buvo lietuvių labai mėgstama ir ilgus metus tarnavo kaip pramogų bei kultūrinių renginių centras – veikla joje ir dabar tebesireiškia. (Lietuvių salė, 1725 Jane Street, Pittsburgh, Pennsylvania, 15203)

### Putnam, Connecticut – Amerikos Lietuvių kultūros archyvas

Amerikos Lietuvių kultūros archyvą (ALKA) 1962 metais įkūrė prelatas Pranciškus M. Juras, gavęs iš Nekaltai Pradėtosios Marijos seselių vienuolių žemės sklypą mažame Putnamo miestelyje. Buvo pastatytas ir 1976 metais praplėstas archyvams pastatas. Bibliotekoje yra per 80 000 knygų, o archyvuose daugiau kaip 200 asmeninių ir organizacinių fondų. Muziejuje saugomi meno, tautodailės, gintaro, bažnytinių vėliavų, medalių ir pašto ženklų rinkiniai, taip pat iš 1939 metų Pasaulinės parodos lietuvių paviljono keli dideli paveikslai, Vytauto Didžiojo skulptūra ir kiti eksponatai. Dabar ALKA yra Amerikos Lietuvių Katalikų mokslo akademijos priežiūroje. (Amerikos Lietuvių kultūros archyvas, 37 Mary Crest Drive, Putnam Connecticut, 06260)

### Southfield (Detroit), Michigan - Dievo Apvaizdos parapijos Kultūros centras

Dievo Apvaizdos lietuvių parapijos ribose gyvai veikia Kultūros centras. Bažnyčios statybai kertinis akmuo pašventintas 1972 metais. Kartu su bažnyčia buvo statomi salės ir kitų parapijos patalpų (klasės mokyklai, virtuvė ir pan.) priestatai, įruošti su lietuvių parapijiečių talka. Kultūros centre švenčiamos tautinės šventės, vyksta vaidinimai, koncertai, paskaitos, parodos, mokslo metų užbaigtuvės, pasilinksminimai, taip pat tautinių šokių, chorų repeticijos, įvairūs parapijiečių susibūrimai. (Dievo Apvaizdos Kultūros centras, 25335 West Nine Mile Road, Southfield, Michigan 48034)

### St. Petersburg, Florida - Amerikos Lietuvių klubas

1964 metais įvyko iškilmingas St. Petersburg Lietuvių klubo atidarymas. Ilgainiui vis daugiau mūsų tautiečių, sulaukusių pensijos amžiaus, perisikėlė nuolatiniam ar laikinam gyvenimui į Floridą. Besijungiant į klubą naujiems nariams, net du kartus - 1973 ir 1989 metais - klubo pastatas buvo praplėstas. Klubas yra nuolatinė vietinių lietuvių susitikimo vieta. Salėje nuolat vyksta įvairūs renginiai: koncertai, paskaitos, parodos, pietūs su menine ar kitokia programa, tautinių šokių bei dainų vienetų repeticijos. Klubo patalpose veikia lietuviškų knygų biblioteka. (Amerikos Lietuvių klubas, 4880 46th Ave. North, St. Petersburg, Florida 33714)

# Lithuanian Cultural Centers

*Danutė Bindokienė*

Lithuanian immigrants to America before World War I, despite the difficult living conditions, were seeking cultural and social fulfillment. The first cultural centers were the Lithuanian parishes, which established parochial schools and provided meeting halls for various organizations. The parish halls were alive with cultural activities: concerts, theatrical productions, lectures, art exhibits and other events.

Some Lithuanian organizations obtained their own buildings. For example: Lithuanian Citizens' Club (Boston, Massachusetts), Vytautas the Great Lithuanian National Guard Hall (Chicago, Illinois), Lithuanian National Hall (Los Angeles, California), Lithuanian Club (Waterbury, Connecticut), Lithuanian Citizens' Club (Pittsburgh, Pennsylvania). With time, as the organizations became less active and the Lithuanian communities dwindled, many buildings passed into the hands of other immigrants. Some are still active. However, Lithuanian parishes in many communities remain as cultural centers until present day.

Lithuanian immigrants, who arrived in America after World War II, started to establish their own cultural centers. In some communities they joined and rejuvenated the previously established cultural centers; in other places the new immigrants built their own new centers. These new Lithuanian communities established Saturday schools, youth organizations, song and folk dance groups, art galleries, libraries, museums, and archives. Social and political organizations also became active. Among the most noteworthy achievements, that evolved from the activities at the cultural centers were Lithuanian Song and Dance festivals, Science and Arts Symposiums, and Lithuanian Opera in Chicago which recently celebrated its 50th anniversary.

Listed here are some of the more important American Lithuanian Cultural centers.

### Baltimore, Maryland – Lithuanian Hall

Baltimore has one of the oldest Lithuanian communities – Lithuanians lived in the city since about 1884. In 1887 they established a parish and in 1914-1921 the parishioners acquired a three-story building for cultural and other activities and created a cultural center, naming it Lithuanian Hall. This center played an important role in keeping Lithuanian spirit and traditions alive. Lithuanians who settled in Baltimore after World War II joined in the Lithuanian Hall activities. A museum was established in 1978 which has numerous significant collections, among them – Henry L. Gaidis' unique collection of Lithuanian army uniforms, medals and armaments. Just as important is the library operating since 1908, which is considered the oldest Lithuanian library in America. It has some very rare old books from the end of 19th century as well as some of the newest Lithuanian publications. (Lithuanian Hall, 853 Hollins St., Baltimore, Maryland, 21201-1003)

### Boston, Massachusetts – Lithuanian Citizens' Club

On the south side of Boston, where most Lithuanians settled, in 1899 they formed the South Boston Lithuanian Citizens Association, at one time boasting up to 1,300 members. In 1950 the Association acquired a four-story building, with two spacious halls for concerts and other events and also smaller rooms for organization offices, meetings, and conferences. This was the main cultural center for Boston Lithuanians. Even after many Lithuanians moved away from South Boston, the Club is still alive but its activities are somewhat curtailed. (Boston Lithuanian Citizens' Club, 368 West Broadway, South Boston, Massachusetts 02127)

### Chicago, Illinois – Balzekas Museum of Lithuanian Culture

A Chicago businessman and eminent Lithuanian community activist Stanley Balzekas, Jr, in 1966 established a museum from his families' personal historical, folk-art, numismatics, and other collections. 1986 the museum moved to bigger facilities. It now has over 40,000 books, especially about Lithuania's and Eastern European history. Over 10,000 pamphlets and other literature are kept in the museum library. There is a Genealogy section, a Children's Museum, temporary and permanent exhibits. The exhibit "Lithuania through the Ages" covers the history of Lithuania from prehistoric times until present. There is an extensive photograph collection of Lithuanian immigrants' life, music, maps, numismatics, and other interesting collections. (Balzekas Museum of Lithuanian Culture, 6500 S. Pulaski Road, Chicago, IL 60629)

## Chicago, Illinois – Youth Center

Many thousands of Lithuanian immigrants came to Chicago after the end of World War II, but facilities for the new surge of cultural and artistic activities were sadly lacking. In the 1950's the Jesuit Fathers decided to establish a center which would fulfill the needs of the Chicago Lithuanian community. The project was enthusiastically approved by the Lithuanian community and endowed with generous donations. In 1957 several buildings were completed on the south side of Chicago: Jesuit monastery, chapel and a youth center with facilities for Lithuanian schools, social and cultural activities. Although most Lithuanians have moved away from the neighborhood, the Youth Center is still very active and continues to serve the Lithuanian community.

The Youth Center has a Lithuanian Saturday school, M. K. Čiurlionis Art Gallery, Lithuanian Teachers' Institute, a library, Lithuanian Research and Study center, Lithuanian World Archive, Music Archive, Archive of Photography, and other archives. The Čiurlionis' Art Gallery offers not only art exhibits, but also book presentations, poetry readings, concerts, and lectures. In the courtyard of the Youth Center, in 1972, a monument was erected dedicated to the Lithuanians who died fighting for the freedom of their native land. On special occasions, and Lithuanian national holidays, ceremonies are conducted and wreaths laid at the base of the monument. After the number of Jesuits dwindled in Chicago, most of the monastery rooms were converted into classes for the Lithuanian Saturday school. There are still Lithuanian language Masses in the Jesuit chapel. (Lithuanian Youth Center, 5600 S. Claremont Ave, Chicago, Illinois 606360)

## Cleveland, Ohio – Our Lady of Perpetual Help Parish, Lithuanian Center

This truly is a Lithuanian cultural island which, beside the church, has a Cultural center with spacious halls for various organized events and sports, classes for Lithuanian Saturday school, and a convent building. Here Lithuanian youth play various sports, practice folk dances and songs and give performances to the public. The Saint Casimir Lithuanian Saturday School has been active since 1957. The honorary consul of the Republic of Lithuania has their office at the center. (Our Lady of Perpetual Help Parish, 18022 Neff Road, Cleveland, Ohio 44119)

## Lemont, Illinois – "Ateitis" Lithuanian Center

In 1979 the Lithuanian Catholic Association "Ateitis" acquired the former St. Vincent de Paul monastery property with a spacious residential building, built in 1943, and established the "Ateitis" Lithuanian Center. On the first floor there is a hall for religious retreats, lectures, book presentations, and meetings. On the wooded grounds of the Center picnics, celebrations, and other events are held not only for the "Ateitis" organization but for all Chicago and suburban Lithuanians. ("Ateitis" Lithuanian Center, 12690 Archer Ave, Lemont, Illinois 60439)

## Lemont, Illinois – Lithuanian World Center

The most recent cultural center was established in 1989 in a Chicago suburb, close to the town of Lemont. When Lithuanians started to move to the suburbs from their old neighborhoods in Chicago it became clear that a new Lithuanian cultural center was needed. With the help of the Lithuanian-American Community, Lemont chapter, a nonprofit corporation "Lithuanian Mission Center, Inc." was registered in the State of Illinois. A 15 acre (6 hectares) tract of land along with St. Andreas Seminary buildings (about 125,000 sq. feet – 11,600 sq. m) were purchased, and the Lithuanian World Center (LWC) established together with a church named the Blessed Jurgis Matulaitis Lithuanian Catholic Mission.

The Center has a Lithuanian Saturday school with about 400 students, Montessori pre-school *"Žiburėlis,"* and several halls for various functions: Lithuanian Foundation Hall, Youth Sport Hall, *Bočiai* Hall. There is also a Lithuanian Art Museum, Lithuanian Folk Art Museum, Lithuanian Scouts Association Archive, and facilities for the offices of *Vydūnas* Foundation, Lithuanian Foundation, Lithuanian World Community, Lithuanian-American Community Social Council, and accommodations for meetings. Young people love to use the sport halls and various Lithuanian organizations use the other facilities. At the LWC there are not only concerts, meetings, lectures and social gatherings but also large assemblies such as the World Lithuanian Science and Art Symposiums. LWC is a very lively and active Lithuanian cultural center. (Lithuanian World Center, 14911 127 Street, Lemont, IL 60439)

### Los Angeles, California – St. Casimir Parish, Cultural Center and the American Lithuanian National Center

There are two Lithuanian cultural centers in Los Angeles: St. Casimir parish and American Lithuanian National Center (ALNC) which belongs to the National Lithuanian Society of America, Los Angeles chapter. The ALNC was established in 1961 and it is used for Lithuanian national holiday celebrations, meetings, social gatherings, and youth functions. Nevertheless, the most active and diverse Lithuanian public life in Los Angeles can be found at the St. Casimir parish hall. There are book presentations, concerts, lectures, theatrical presentations, and social gatherings. The parish also supports the St. Casimir Lithuanian Saturday school, established in 1960. (St. Casimir Lithuanian Church, 2718 St. George St., Los Angeles, CA 90027; American Lithuanian National Center, 3352 Glendale Blvd., Los Angeles, CA 90039)

### Philadelphia, Pennsylvania – Lithuanian Music Hall

On December 31, 2007 the Lithuanian Music Hall of Philadelphia celebrated its 100 year anniversary. In 1907 Lithuanian Music Hall Association was established, forming a committee for collecting funds. The Hall was built and its grand opening celebrated on December 31, 1909. Many cultural and social functions are still organized in the Lithuanian Music Hall. The Music Hall maintains the *"Čiurlionis"* cultural room with a library and folk art museum. Not many Lithuanians live in the vicinity of the Hall, but on various occasions Lithuanians from the Philadelphia region gather in their "own home", even form farther distances. (Lithuanian Music Hall, 2715 E. Allegheny, Ave., Philadelphia, Pennsylvania 19134)

### Pittsburgh, Pennsylvania – Lithuanian Hall

The first Lithuanians came to Pittsburgh in 1871-1874. Between 1930 and 1960 there were about 7,000 people of Lithuanian decent. In 1911 three Lithuanian organizations united and established the Lithuanian Citizens' Association of Western Pennsylvania. In 1927 the Association purchased Birmingham Turner Hall buildings with a large hall for dancing and theatrical productions, rooms for meetings and a bar. The Hall was very popular among Lithuanians and for many years served as the center for recreational and cultural activities, even to the present. (Lithuanian Hall, 1725 Jane Street, Pittsburgh, Pennsylvania 15203)

### Putnam, Connecticut – American Lithuanian Cultural Archive

The Archive was established in 1962 by Monsignor Pranciškus M. Juras who obtained some land from the Sisters of the Immaculate Conception of the Blessed Virgin Mary in the little town of Putnam. A building for the archives was built and expanded in 1976. The archives maintain some 80,000 books in their library and more than 200 private and organizational archival collections. Numerous art pieces, folk art, amber, church flags, medals, and postal stamps are protected in the museum along with several large paintings, a sculpture of Vytautas the Great, and other exhibits from the Lithuanian pavilion at the 1939 World Fair in New York. At present, the American Lithuanian Cultural Archive is in the care of the Lithuanian Catholic Science Academy of USA. (American Lithuanian Cultural Archive, 37 Mary Crest Drive, Putnam, Connecticut 06260)

## Southfield (Detroit), Michigan – The Providence of God Parish Cultural Center

A very active cultural center is maintained by the Providence of God Lithuanian parish. The corner stone for the new parish church was blessed in 1972. Along with the church, other parish buildings were erected: activity hall, meeting rooms, classrooms for Lithuanian school classes, and a kitchen. Construction work was done with the help of volunteer Lithuanian parishioners. At the Cultural Center Lithuanian national holidays are celebrated; there are theatrical productions, concerts, lectures, art shows, choir practices, folk dance group rehearsals, various organization, and parishioners' gatherings. (Providence of God Cultural Center, 25335 West Nine Mile Road, Southfield, Michigan 42034)

## St. Petersburg, Florida – American Lithuanian Club

In 1964 Lithuanians in St. Petersburg celebrated a very festive occasion – the opening of American Lithuanian Club. As more Lithuanians retired, many moved to Florida either permanently or just for the winters. With new members joining the American Lithuanian Club, the buildings had to be enlarged at least two times (in 1973 and 1989) to accommodate all who wanted to participate in the Club activities. The Club is the most popular meeting place for local Lithuanians. Concerts, lectures, shows, dinners, folk dance and song group rehearsals are constantly taking place in the Club hall. There is also a library with an extensive collection of Lithuanian books. (American Lithuanian Club, 4880 46th Ave, North, St. Petersburg, Florida 33714)

Lietuvių tautinių šokių šventė Los Angeles, CA, 2008 m. liepos 6 d.
Lithuanian folk dance festival, Los Angeles, CA, July 6, 2008.

Po klumpakojo šokio.
After the wooden shoe dance.

Blezdingėlės šokis.
Dance of the swallows.

*Lithuanian Folk Dance Festival, Galen Center at the University of Southern California, Los Angeles, California*

J. KUPRYS

Lietuvių Dainų Šventė Čikagoje, 2006 m. liepos 2d.
Lithuanian Song Festival in Chicago, July 2, 2006.

J. KUPRYS

Lietuvos prezidentas Valdas Adamkus sveikina daugiau kaip 1 000 dainų šventės dalyvių.
The president of Lithuania, Valdas Adamkus, greets over 1,000 song festival participants.

J. KUPRYS

Dainų šventės dalyviai.
Participants of the song festival.

*Lithuanian Song Festival, University of Illinois Pavilion, Chicago, Illinois*

Lietuvių operos Čikagoje spektaklis „Linksmoji našlė“ 2007 m.
The Lithuanian opera in Chicago presents “The Merry Widow” in 2007.

Vaizdai is Lietuvių operos pastatytmo „Linksmoji našlė“. Lietuvių opera Čikagoje atšventė 50 savo veiklos metų.
Scenes from the Lithuanian opera presentation of “The Merry Widow.” The Chicago Lithuanian opera has celebrated its 50th year.

*The Lithuanian Opera Company of Chicago*

„Žaidimas su Pasieniais" aliejus ant drobės, 1980, Aleksandra Vilija Eivaitė.
"Gaming with Frontiers" oil on canvas, 1980, Aleksandra Vilija Eivaitė.

„Figūrėlės" keramika, E. Marčiulionienė.
"Small Figures," ceramics, E. Marčiulionienė.

Lietuvių medžio skulptūros.
Lithuanian wood sculptures.

Suvalkiečių ir kapsų tautiniai drabužiai.
Lithuanian folk costumes from Suvalkai and Kapsas regions.

*Lietuvių Dailės Muziejus / Lithuanian Museum of Art at the Lithuanian World Center, 14911 127th Street, Lemont, Illinois*

Pasaulio lietuvių centras su Palaiminto Jurgio Matulaičio bažnyčia, Lemont, Illinois.
The Lithuanian World Center with the Blessed Jurgis Matulaitis Church, Lemont, Illinois.

Ateitininkų namai, 12690 Archer Ave., Lemont, Illinois.
Lithuanian Catholic Federation "Ateitis" center, 12690 Archer Ave. Lemont, Illinois.

Koplytstulpiai prie Pasaulio Lietuvių centro.
Wayside crosses at Lithuanian World Center.

*Lithuanian Cultural Centers in Lemont, Illinois*

Pasaulio lietuvių centro, Palaiminto Jurgio Matulaičio bažnyčia. Architektas – Walter Netsch. Vidaus ir lauko vaizdai.
The Lithuanian World Center, Blessed Jurgis Matulaitis Church. Architect – Walter Netsch. Interior and exterior views

Bažnyčios langų vitražai. Dešinėje – Adolfo Valeškos vitražai virš didžiojo altoriaus.
The church stained glass windows. On the right – Stained glass above the main altar by Adolfas Valeška.

*The Blessed Jurgis Matulaitis Church at the Lithuanian World Center, 14911 127th Street, Lemont, Illinois*

Balzeko Lietuvių kultūros muziejus Čikagoje. Priekinis įėjimas ir priimamasis kambarys.
Balzekas Museum of Lithuanian Culture in Chicago. The main entrance and the reception room.

Parodai išdėstyti lietuvių tautiniai rūbai, audiniai ir papuošalai. Muziejuje yra istorijos, numizmatikos, genealogijos ir kiti skyriai.
An exhibit of Lithuanian folk costumes, textiles and jewelry. The museum has historical, numismatics, genealogy and other sections.

*Balzekas Museum of Lithuanian Culture, 6500 South Pulaski Road, Chicago, Illinois*

Lietuvių tėvų jėzuitų įsteigti Jaunimo centro rūmai ir paminklas žuvusiems už Lietuvos laisvę. Architektas – Rimas Mulokas.
Lithuanian Jesuit Fathers' Youth Center building and monument to those who died for Lithuania's freedom. Arch. – Rimas Mulokas.

Jaunimo centro pagrindinis įėjimas.
Youth Center main entrance.

Jaunimo centro bendras vaizdas. Architektai – Jonas ir Rimas Mulokai.
General view of the Youth Center. Architects – Jonas and Rimas Mulokas.

*Lithuanian Youth Center, 5620 South Claremont Avenue, Chicago, Illinois*

Baltimorės Lietuvių namai, įsteigti 1917m., turi biblioteką, lietuvių kultūros muziejų, posėdžiu kambarius, salę ir privatų klubą.
Baltimore Lithuanian Hall, established in 1917, has a library, Lithuanian cultural museum, meeting rooms and a private club.

Baltimorės lietuvių namų salėje vyksta įvairūs renginiai. Šalia lietuvių namų esančiame parkelyje pastatyti lietuviški kryžiai.
The Baltimore Lithuanian Hall hosts various meetings and performances. At a park next to the hall there are three Lithuanian crosses.

*Lithuanian Hall, 851-853 Hollins Street, Baltimore, Maryland*

Lietuvių namai, pastatyti 1870 m. vokiečių gimnastikos klubui ir lietuvių nupirkti 1927 m.
Lithuanian Hall was built in 1870 for a German gymnastics club and bought by Lithuanians in 1927.
*1725 Jane St., Pittsburgh, Pennsylvania*

Lietuvių piliečių klubas.
Lithuanian Citizens' Club.
*368 West Broadway, South Boston, Massachusetts*

Lietuvių Muzikos salė.
Lithuanian Music Hall.
*2715 Allegheny Ave., Philadelphia, Pennsylvania*

Pittsburgh universiteto mokslo katedroje tarp įvairių tautybių kambarių yra ir lieuvių liaudies motyvais įrengtas kambarys.
At the University of Pittsburgh, Cathedral of Learning, among other nationality rooms there is also a Lithuanian classroom.

Lietuvių klasė, papuošta Kalėdų šventėms. Sienų apdailoje prie lubų yra įrašyti Lietuvos svarbieji valstybės kūrėjai ir literatai.
The Lithuanian classroom decorated for Christmas holidays. Names of famous Lithuanians are inscribed in the top trim of the wall.

*University of Pittsburgh, 1209 Cathedral of Learning, Pittsburgh, Pennsylvania*

Amerikos Lietuvių kultūros archyvas (ALKA), Putnam, CT, kuriame yra kaupiami Amerikos lietuvių kultūriniai ir istoriniai archyvai.
American-Lithuanian Cultural Archives (ALKA), Putnam, CT, where the American-Lithuanian cultural and historic archives are stored.

Darbuotojos archyvo bibliotekoje, kurioje yra saugoma per 80 000 knygų.
Staff members at the archives' library where over 80,000 volumes are stored.

Archyvo meno muziejuje.
At the art museum of the archives.

*American-Lithuanian Cultural Archives (ALKA), 37 Mary Crest Drive, Putnam, Connecticut*

# PIRMOSIOS LIETUVIŲ BAŽNYČIOS AMERIKOJE

# FIRST LITHUANIAN CHURCHES IN AMERICA

# Pirmosios lietuvių bažnyčios Amerikoje

*Algis Lukas*

Nuo pirmųjų lietuvių imigracijos bangų į Ameriką XIX a. antroje pusėje, kai tik susibūrė gausesni lietuvių telkiniai ir buvo įkurtos tautinės ar savišalpos organizacijos, kilo sumanymai steigti savo tautines parapijas ir statyti joms bažnyčias. Parapijas kūrė ir bažnyčias statė ne tik lietuviai, bet ir imigrantai iš kitų šalių, kurie, dėl vietinės kalbos nemokėjimo, kultūrinių bei kitų skirtumų, spietėsi tarp savųjų. Parapijų steigėjai visų pirma surašydavo būsimus parapijiečius, rinkdavo pasižadėjimus ir aukas bažnyčios statybai, o kartais net surasdavo lietuvį kunigą, sutinkantį parapijai vadovauti. Po to jie kreipdavosi į vietinį vyskupą, prašydami leisti steigti parapiją ir statyti bažnyčią. Kartais lietuviai, gyvendami ir bendraudami su lenkais, statydavo bažnyčias bendromis jėgomis. Tarp 1871 ir 1900 metų buvo įkurtos 39 lietuvių parapijos, iš kurių 7 - kartu su lenkais. Vėliau lietuviai, dėl įvairių nesutarimų ir kitų priežasčių, atsiskyrė nuo lenkų, pasistatydami savo bažnyčias.

Prie bažnyčių buvo statomos salės, kuriose vykdavo parapijos ir kitų organizacijų susirinkimai, vaidinimai, koncertai, pasilinksminimai. Dažna lietuviška parapija įsteigdavo ir pradinę mokyklą, kurioje, šalia Amerikoje privalomų pamokų, buvo dėstoma lietuvių kalba ir Lietuvos istorija. Mokytojauti buvo kviečiamos lietuvės vienuolės, parūpinant joms gyvenamąsias patalpas. Lietuviams sava parapija buvo ne tik religinio, bet ir kultūrinio bei tautinio gyvenimo centras.

## Pirmoji lietuvių bažnyčia

Pirmoji lietuvių bažnyčia Amerikoje buvo Šv. Kazimiero, pastatyta 1874 m. Shenandoah, Pennsylvanijoj. Nors bažnyčios steigėjai buvo lietuviai ir beveik visos aukos jos statybai surinktos iš lietuvių, įstatai buvo surašyti lenkų ir lietuvių kalba. Deja, vyskupijos ir valdžios įstaigose parapija buvo užregistruota, kaip „lenkų katalikų bažnyčia“. Pirmuoju klebonu parapijos steigėjai pasikvietė kun. Andrių Strupinską, kuris buvo iš Marijampolės į Ameriką pabėgęs po nepasisekusio sukilimo prieš Rusiją 1863 metais. Po poros metų kun. Strupinską pakeitė lenkas kunigas, nemokantis lietuviškai. Tai sukėlė didžiulį nepasitenkinimą tarp lietuvių, kurie vėl pradėjo vienytis, surinko lėšas, gavo vyskupo leidimą ir 1894 m. buvo pašventinta nauja, didinga Šv. Jurgio lietuvių bažnyčia.

Nuo pat įsteigimo Šv. Jurgio bažnyčia buvo Shenandoah lietuvių gyvenimo širdis. Per daugiau kaip 100 gyvavimo metų Šv. Jurgio parapija išleido 15 kunigų, 4 brolius vienuolius ir apie 44 seseris vienuoles. Ši dvasininkija darbavosi daugelyje kitų, po Ameriką išsisklaidžiusių, lietuviškų parapijų sielovadoje. 2006 metais vyskupija Šv. Jurgio bažnyčią uždarė reikiamiems remontams.

## Lietuvių bažnyčių architektūra ir puošmenos

Kiekviena nauja lietuvių parapija, statydama savo bažnyčią, samdydavo vietinius architektus ir statybą pavesdavo vietiniams rangovams. Kai kur patys parapijiečiai prisidėdavo prie bažnyčios statybos darbų. Tų laikų bažnyčių architektūrai būdavo pritaikomi vėlesnių laikų romaninio, neogotikos ar baroko stiliai, bet dažnai vietiniai architektai sukurdavo pastatą, panaudodami tuo metu vyraujančias architektūrines kryptis. Kartais bažnyčių steigimo komitetai ar klebonai pageidaudavo, kad jų nauja bažnyčia būtų panaši į kurią jiems pažįstamą bažnyčią Lietuvoje. Todėl kiekviena lietuvių pastatyta bažnyčia Amerikoje skyrėsi savo išplanavimu, architektūriniu stiliumi, vidaus įrengimu ir išpuošimu.

Nors pirmosios lietuvių statytos bažnyčios nebuvo lietuvių architektų suprojektuotos ir lietuvių menininkų išpuoštos, tų bažnyčių steigėjai pasistengė pažymėti, jog tai „Lietuvių katalikų bažnyčia“, įmūrydami Lietuvos herbą, Vytį arba kitus lietuviams būdingus simbolius. Dauguma bažnyčių buvo pavadintos lietuvių pamiltųjų šventųjų vardais. Bažnyčios vidaus freskos, paveikslai, statulos ir vitražai dažnai vaizdavo lietuviams žinomus ir garbinamus šventuosius - šv. Kazimierą, šv. Jurgį, Aušros Vartų arba Šiluvos Mariją. Beveik visose bažnyčiose stambesni aukotojai buvo įamžinti, įrašant jų vardus ir pavardes langų vitražuose. Tarp bažnyčių statybos rėmėjų buvo ir įvairios bažnytinės draugijos bei susivienijimai, kurie taip pat įrašyti daugelyje vitražų. Nors ne visos lietuvių statytos bažnyčios pasižymėjo ypatingu architektūriniu stiliumi ar meniniais kūriniais, bet kiekvienoje buvo galima rasti ką nors lietuviška ir sava.

## Ne visas bažnyčias statė lietuviai

Kai kurios lietuvių parapijų bažnyčios nebuvo pastatytos pačių lietuvių, bet nupirktos iš kitų sunykusių parapijų, jų parapijiečiams išsikėlus į kitas miesto dalis. Žymesnės tokių bažnyčių yra Švč. Mergelės Apreiškimo, Brooklyn, NY, nupirkta iš vokiečių liuteronų 1915 metais; Šv. Alfonso, Baltimore, MD, nupirkta iš vokiečių 1917 metais; Šv. Andriejaus bažnyčia Philadelphia, PA, nupirkta iš episkopalų 1942 metais.

Šv. Alfonso bažnyčia buvo vokiečių pastatyta 1845 metais. Ją suprojektavo žymus tų laikų architektas Robert Cary Long vokiečių naujuoju gotikos stiliumi. Bažnyčia buvo laikoma vokiečių katedra ir joje vienu metu klebonavo palaimintasis kardinolas John Neumann. Lietuviams perėmus bažnyčią, joje lankėsi arkivyskupas Jurgis Matulaitis (šiuo metu – palaimintasis) ir arkivyskupas Teofilijus Matulionis. Nors šios bažnyčios nėra lietuvių statytos, jos turėjo labai didelį vaidmenį Amerikos lietuvių gyvenimui ir iki šiol jiems tarnauja.

## Lietuvių statytų bažnyčių likimas

Kunigas W. Wolkovich-Valkavičius savo išsamame, anglų kalba parašytame, trijų tomų leidinyje „Lietuvių religinis gyvenimas Amerikoje“ yra aprašęs 150 lietuvių įsteigtų parapijų, vienuolynų ir mokyklų. 1941 metais tebeveikė 130 lietuviškų parapijų. Laikui bėgant, senstant parapijų kūrėjų kartoms, jauniesiems įsijungiant į amerikiečių gyvenimą ir besikeičiant apylinkių gyventojams, daug tų bažnyčių užsidarė arba perėjo į kitų tautybių imigrantų rankas. 2001 metais Amerikoje dar gyvavo apie 79 lietuvių statytos bažnyčios, bet jau ne visos turėjo lietuvius klebonus. Čikagoje, kur vienu metu buvo net 12 lietuvių bažnyčių, 2001 metais veikė tiktai trys lietuviškos parapijos.

Daug dėmesio ir pasipriešinimo 2007 m. lietuvių visuomenėje sukėlė New Yorko arkidiecezijos vadovybės nutarimas uždaryti, 1911 m. lietuvių statytą, Aušros Vartų bažnyčią Manhatten rajone, New Yorke. Mažėjantys parapijiečių skaičiai, trūkumas lietuvių kunigų, kurie galėtų parapijas aptarnauti, taip pat finansiniai sunkumai priverčia ir kitas Amerikos vyskupijas mažinti tautinių parapijų skaičių.

Šiuo metu yra likę tik apie 35 lietuviškos bažnyčios ar koplyčios, kuriose tebeaukojamos mišios lietuvių kalba. Daugelyje kitų, nors lietuvių statytų ar įsteigtų ir tebeturinčių lietuvių kilmės parapijiečių, jau lietuviškų pamaldų nebėra.

Šiame albumo skyriuje yra pavaizduojamos kai kurios žymesnės, dar veikiančios ar tebestovinčios, Amerikos lietuvių bažnyčios, statytos prieš Antrąjį pasaulinį karą. Tarp jų matyti įvairių architektūrinių stilių ir skirtumų, tačiau taip pat galima rasti tam tikrų panašumų su Lietuvoje tais laikais statytomis bažnyčiomis, lietuviškų ornamentų, simbolių ir lietuviams brangių šventųjų paveikslų, vitražų bei statulų.

# First Lithuanian Churches in America

*Algis Lukas*

With the first waves of Lithuanian immigrants to America, at the end of 19th century, when larger communities were formed, ethnic and fraternal societies organized, came proposals to form Lithuanian parishes and build churches. Ethnic churches were built not only by Lithuanians but also by other nationalities who, not knowing English language and because of cultural differences, were drawn to their own communities. Organizers would compile lists of would be parishioners, obtain commitments for donations, often find a Lithuanian priest willing to lead the parish and then, they would petition the local bishop for permission to form a parish and build a church. Sometimes Lithuanians built churches together with the Poles. Between 1871 and 1900 there were 39 Lithuanian parishes formed of which seven were with Poles. Later, because of nationality conflicts, Lithuanians separated from the Poles and built their own churches.

Parish halls served as cultural centers where various cultural and fraternal organizations held meetings, organized concerts, plays, and social gatherings. Often, Lithuanian parishes would establish grade schools where, besides the required subjects, Lithuanian language and history were taught. Lithuanian nuns were invited to teach at the parish schools. The parishes became centers not only of religious but also of cultural and ethnic life.

## The first Lithuanian Church

The first Lithuanian church in America was St. Casimir's, built in Shenandoah, Pennsylvania, in 1874. Although the founders of the church were Lithuanians, the by-laws were written in Polish and Lithuanian languages. Unfortunately, in the archdiocese and in civil records, the church was registered as a "Polish Catholic Church". The first pastor of the church was Andrius Strupinskas, a Lithuanian priest from Marijampolė, who fled Lithuania in 1863 after an unsuccessful revolt against the Russian czarist rule. After several years, Father Strupinskas was replaced by a Polish priest who did not speak Lithuanian. This caused great unhappiness among Lithuanians who again reorganized, raised funds, obtained permission from the bishop, and in 1884 built a grand St. George's church.

From the very beginning, St. George church was the heart of Shenandoah Lithuanian community. During more than 100 years, St. George's parish produced 15 priests, four religious brothers and about 44 nuns. These religious men and women served many of the Lithuanian parishes and schools throughout America. In 2006 the archdiocese closed the church for needed repairs.

## Architecture and Décor of Lithuanian Churches

Every new Lithuanian parish building its church would hire local architects and contractors. Sometimes, the parishioners themselves would assist in the building of the church. The church architecture of that time usually adapted the later roman, neo-gothic or baroque styles but, the local architects would also use the prevailing architectural styles. Sometimes the founders of the church or the local pastor would request that the new church be similar to some familiar church in Lithuania. Therefore, every Lithuanian church built in America was different in its architectural style, general plan and interior décor.

Although the early Lithuanian churches were not built by Lithuanian architects nor decorated by Lithuanian artists, the founders of the churches endeavored to assure that the new church would have some decorative elements, such as the national emblem "Vytis" or other symbols, which would remind that this is a "Lithuanian Catholic" church. Many of the churches were named after saints dear to the Lithuanian people. The interior of the churches were decorated with frescos, paintings, statues, and stained glass windows showing saints honored by Lithuanians, such as St. Casimir, St. George, St. Mary of the Gates of Dawn in Vilnius or of Šiluva.

In almost all churches the more generous donors were honored by having their names inscribed in the stained glass windows. Among the donors were various church groups and associations whose names were also inscribed in the windows. Although not all churches built by Lithuanians were noteworthy for their architectural style or décor, in each of them one would find something Lithuanian and familiar.

## Not all churches were built by Lithuanians

Some of the Lithuanian parishes did not build their churches but acquired them from other ethnic parishes which were closing because their parishioners had moved to other parts of the city. The more significant of such churches are Annunciation of the Blessed Virgin Mary church, in Brooklyn, NY, purchased from German Lutherans in 1915; St. Alphonsus church in Baltimore, MD, purchased from Germans in 1917; St. Andrews church in Philadelphia, PA, purchased from Episcopalians in 1942.

St. Alphonsus church, built by the Germans in 1845, was designed by a well known architect of that time, Robert Cary Long, in a new German gothic style. The church was considered a German cathedral and at one time its pastor was the Blessed Cardinal John Neumann. When the Lithuanians took over the church, it was visited by Blessed Archbishop Jurgis Matulaitis and archbishop Teofilijus Matulionis. Although these churches were not built by Lithuanians, they had a very significant role in the life of the Lithuanian communities and are serving them to this day.

## The future of Lithuanian built churches

Rev. W. Wolkovich (Volkavičius) in his comprehensive, three volume study of "Lithuanian Religious Life in America" includes 150 parishes, monasteries, and schools founded by Lithuanians in America. In 1941 there were 130 active parishes. With the passing of time, the aging of the parish founders, assimilation of the younger generations into the American life and changing ethnic makeup of the neighborhoods, many of the churches closed or were taken over by other ethnic immigrants. In 2001 there were still about 79 active Lithuanian built churches, although not all had Lithuanian pastors. In Chicago, where at one time there were 12 Lithuanian churches, by 2001 there were only three with active Lithuanian parishes.

There was much attention and resistance from the Lithuanian community in New York to the announcement by the archdiocese in 2007 to close Our Lady of Vilnius church in Manhattan, which was built by Lithuanians in 1911. The decrease in parishioners, lack of Lithuanian priests, and increasing financial burdens to maintain the aging churches are forcing archdioceses to reduce the number of ethnic (national) churches.

At this time there are only 35 Lithuanian churches and chapels where Mass is still said in Lithuanian. In many other churches, although built by Lithuanians and still with substantial number of parishioners of Lithuanian ancestry, there are no Lithuanian Masses held.

In this section of the album are included some of the more noteworthy, still functioning or standing Lithuanian churches built before the Second World War. Among them, one will notice various architectural styles but also, some resemblance to the churches built at that time in Lithuania in their ornamentation, symbols, paintings, statues and stained glass windows depicting saints that are familiar to Lithuanians.

Šv. Alfonso bažnyčia Baltimorėje, MD, su klebonija ir lietuvių parapijos mokykla (dešinėje).

St. Alphonsus Church in Baltimore, MD with the rectory and, on the right, Lithuanian parish school.

*St. Alphonsus Church, 114 West Saratoga Street, Baltimore, Maryland*

Šv. Alfonso bažnyčia Baltimorėje, MD, vokiečių pastatyta 1845 m. Architektas Robert Cary Long. Lietuvių nupirkta 1917 m.

St. Alphonsus Church in Baltimore, MD, built by Germans in 1845. Architect Robert Cary Long. Acquired by Lithuanians in 1917.

*St. Alphonsus Church, 114 West Saratoga Street, Baltimore, Maryland*

Šv. Andriejaus bažnyčia, New Britain, CT, statyta 1911 m.
St. Andrew Church in New Britain, CT, built in 1911.

Bažnyčios priekinės durys.
Front entrance to the church.

Šv. Andriejaus bažnyčios vidus.
St. Andrew Church interior.

Vienas bažnyčios lango vitražas.
One of the stained glass windows in the church.

*St Andrew Church, 396 Church Street, New Britain, Connecticut*

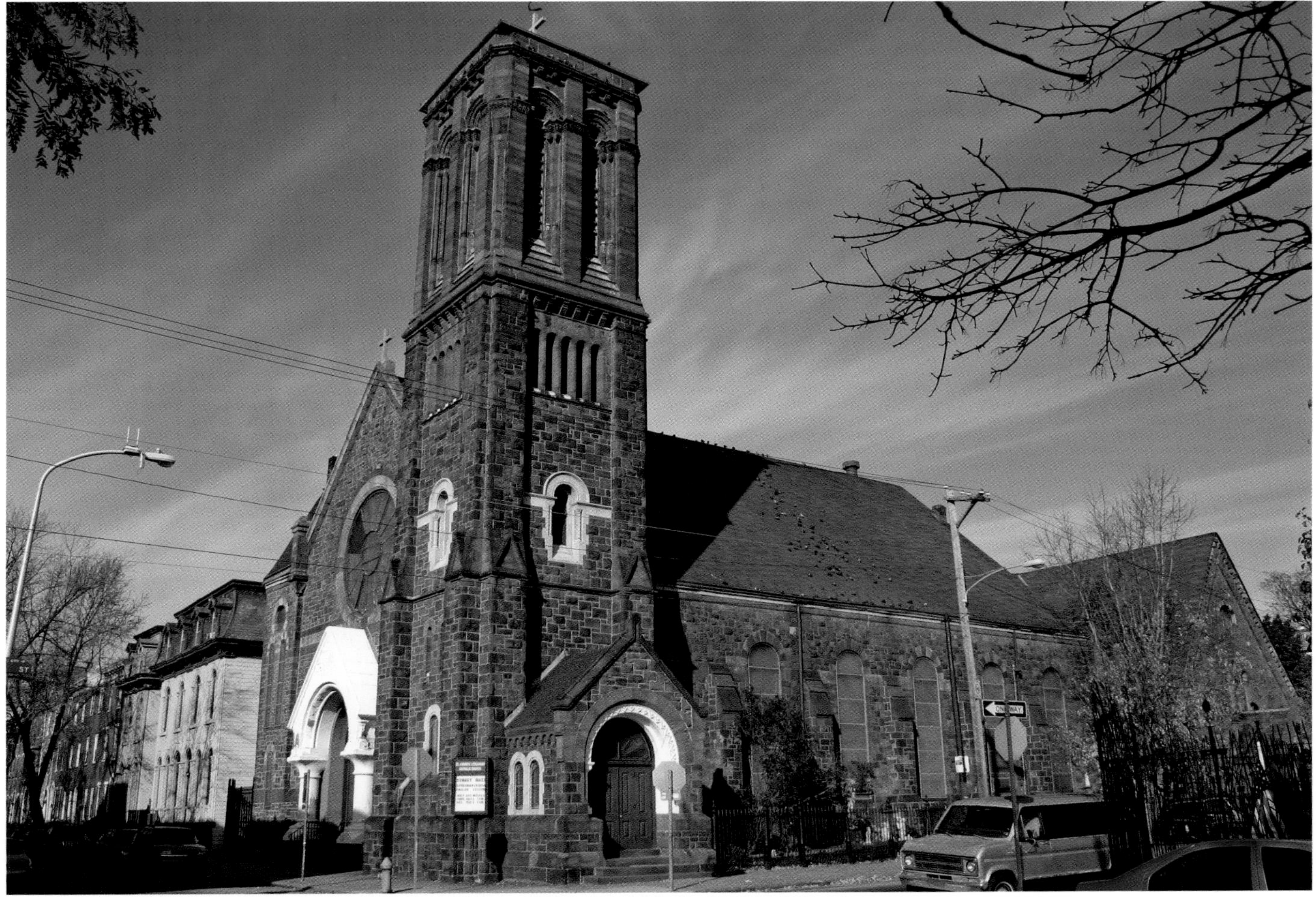

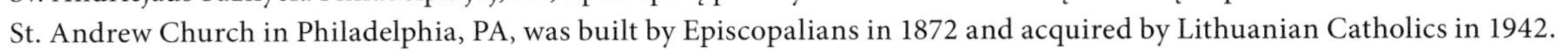

Šv. Andriejaus bažnyčia Philadelphijoj, PA, Episkopalų pastatyta 1872 m. ir lietuvių katalikų nupirkta 1942 m.
St. Andrew Church in Philadelphia, PA, was built by Episcopalians in 1872 and acquired by Lithuanian Catholics in 1942.

Šv. Andriejaus bažnyčios vidus.
St. Andrew Church interior.

Lietuviškas kryžius bažnyčios kieme.
Lithuanian cross in the church yard.

*St. Andrew Church, 1913 Wallace Street, Philadelphia, Pennsylvania*

Šv. Antano bažnyčia Cicero, Illinois, pastatyta 1926m. Ją pašventino Lietuvos arkivyskupas Jurgis Matulaitis.
St. Anthony Church, Cicero, Illinois, built in 1926. It was consecrated by archbishop of Lithuania, Jurgis Matulaitis.

Šv. Antano bažnyčios vidaus vaizdas ir lango vitražas.
St. Anthony Church interior view and stained glass window.

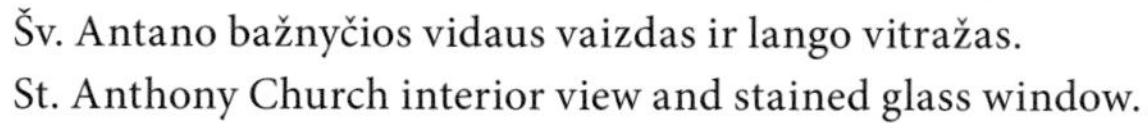

*St. Anthony of Padua RC Church, 1510 So 49th Court, Cicero, Illinois*

Švč. Mergelės Marijos Apreiškimo bažnyčia Brooklyn, NY. Vokiečių statyta 1863 m., lietuvių nupirkta 1914 m.
Annunciation of the Blessed Virgin Mary Church, Brooklyn, NY. Built by Germans in 1863, acquired by Lithuanians in 1914.

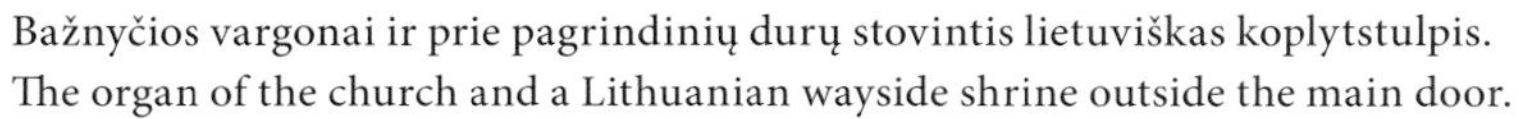

Bažnyčios vargonai ir prie pagrindinių durų stovintis lietuviškas koplytstulpis.
The organ of the church and a Lithuanian wayside shrine outside the main door.

Šv. Juozapo bažnyčia, pastatyta 1893 metais. XX šimtmečio pradžioje ji buvo viena veikliausių lietuvių parapijų Pennsylvanijoj.
St. Joseph's Church built in 1893. At the start of the 20th century it was among the most active Lithuanian parishes in Pennsylvania.

Šv. Juozapo bažnyčia Mahanoy City, angliakasių miestelyje. Gotiniu stiliumi statyta bažnyčia, laikui bėgant, prarado savo bokštą.
St. Joseph's Church in the coal mining town of Mahanoy City. The church, built in gothic style, over the years lost its gothic steeple.

*St. Joseph's Church, 614 Mahanoy Ave., Mahanoy City, Pennsylvania*

J. SETCAVAGE

Šv. Jurgio bažnyčia, statyta 1891 m., priklauso seniausiai lietuvių parapijai Amerikoje, pradėtai 1872 m.
St George's Church, built in 1891, belongs to the oldest Lithuanian parish in America, which was started in 1872.

J. SETCAVAGE

Šv. Jurgio bažnyčios vidus. Dešinėje: Šv. Jurgio bareljefas virš pagrindinių bažnyčios durų. Bažnyčia yra šiuo metu uždaryta.
The interior of St. George's Church. On the right, a bas-relief of St. George above the main door. The church is currently closed.

Šv. Juozapo bažnyčia ir klebonija su didele sale pirmajame aukšte Waterbury, CT. Bažnyčia buvo pašventinta 1905 m.
St. Joseph Church and rectory with a large hall on the first floor in Waterbury, CT. The church was consecrated in 1905.

Nauji vitražai, įrengti 1931 m.
New stained glass windows installed in 1931.

Bažnyčios priekis su koplytstulpiu.
Front of the church with a wayside shrine.

*St. Joseph Church, 46 Congress Avenue, Waterbury, Connecticut*

Šv. Juozapo bažnyčia Scranton, PA, pastatyta 1901 m. Šalia stovintis baltas pastatas, tai lietuvių parapijos mokykla, statyta 1915 m.
St. Joseph Church in Scranton, PA, built in 1901. The adjoining white building is the Lithuanian parish school built in 1915.

Šv. Juozapo bažnyčios vidus, visiškai perstatytas ir atnaujintas. Koplystulpis žuvusiems už Lietuvos laisvę.
St. Joseph Church interior totally reconstructed and redecorated. A wayside shrine for those who died for Lithuania's freedom.

*St. Joseph Church, 116 Theodore Street, Scranton, Pennsylvania*

Šv. Kazimiero bažnyčia Providence, RI, statyta 1935 m.
St. Casimir Church in Providence, RI, built in 1935.

Šv. Kazimiero bažnyčios vienas iš langų vitražų ir iš medžio raižytas šoninis altorius.
One of the stained glass windows at St. Casimir Church and a wood carved side altar.

*St. Casimir Church, 350 Smith Street, Providence, Rhode Island*

Šv. Kazimiero bažnyčia Worcester, MA, baigta statyti 1916 m.
St. Casimir Church in Worcester, MA, constructed in 1916.

Šoninis altorius – Šv. Kazimieras; dailininkas Vytautas K. Jonynas.
Side altar – St. Casimir by artist Vytautas K. Jonynas.

Šv. Kazimiero bažnyčia atnaujinta 1968 m. Vidaus meninius įrengimus atliko dailininkas Vytautas K. Jonynas.
St. Casimir Church was redecorated in 1968. The interior redecoration was by artist Vytautas K. Jonynas.

*St. Casimir Church, 41 Providence Street, Worcester, Massachusetts*

Šv. Kryžiaus, didžiausia lietuvių statyta bažnyčia Čikagoje su 1500 sėdimų vietų, pašventinta 1915 m. Architektas Juozas Molitor.

Holy Cross is the largest Lithuanian built church in Chicago with 1,500 seats, consecrated in 1915. Architect Joseph Molitor.

*Holy Cross Church, 4557 South Wood Street, Chicago, Illinois*

Lietuvių statytos Šv. Kryžiaus bažnyčios Čikagoje vidaus vaizdas.
Lithuanian built Holy Cross Church in Chicago, interior view.

Šv. Kryžiaus bažnyčios šoninių vitražų dalis, – šventųjų portretai.
Holy Cross Church, portion of the side stained glass windows, – portraits of saints.

*Holy Cross Church, 4557 South Wood Street, Chicago, Illinois*

Šv. Petro bažnyčia Bostone, MA, statyta 1902 m. ir pašventinta 1904 m.
St. Peter Church in Boston, MA, built in 1902 and consecrated in 1904.

Šv. Petro bažnyčios lango vitražas.
St. Peter Church stained glass window.

Vitražas virš pagrindinių durų su įrašu „Jėzus Kristus – Mūsų Karalius."
Stained glass window above main door with inscription, "Jesus Christ – Our King."

*St. Peter Church , 50 Orton-Marotta Way, South Boston, Massachusetts*

Šv. Petro ir Povilo bažnyčia Elizabeth, NJ, pašventinta 1910 m. su 1000 sėdimų vietų. Tuometinė bažnyčia turėjo aukštus bokštus.
Sts. Peter and Paul Church in Elizabeth, NJ, consecrated in 1910 with 1,000 seats. The original church had high steeples.

Šv. Petro ir Povilo bažnyčios langų vitražai.
Sts. Peter and Paul Church stained glass windows.

*Sts. Peter and Paul Church, 211 Ripley Place Elizabeth, New Jersey*

Šv. Petro ir Povilo bažnyčia Grand Rapids, MI, statyta 1924 m. Bažnyčios atnaujintas vidus ir didysis altorius.
Sts. Peter and Paul Church in Grand Rapids, MI, built in 1924. The remodeled church interior and the main altar.

Šv. Petro ir Povilo bažnyčios vidaus vaizdai.
Sts. Peter and Paul Church interior views.

*Sts. Peter and Paul Church, 520 Myrtle Street, Grand Rapids, Michigan*

Šventos Trejybės lietuvių katalikų bažnyčia Hartforde statyta 1915 m.
The Holy Trinity Lithuanian RC Church in Hartford, CT, built in 1915.

Švč. Trejybės bažnyčios vidus.
Holy Trinity Church interior.

Šv. Kazimiero ir Jėzaus vitražai.
St. Casimir and Jesus stained glass.

*Holy Trinity Church, 53 Capitol Avenue, Hartford, Connecticut*

Švč. Trejybės bažnyčia Wilkes-Barre, PA, pastatyta 1911 metais, yra viena didžiausių lietuvių statytų bažnyčių Amerikoje.

Holy Trinity Church in Wilkes-Barre, PA, built in 1911, is one of the largest Lithuanian built churches in America.

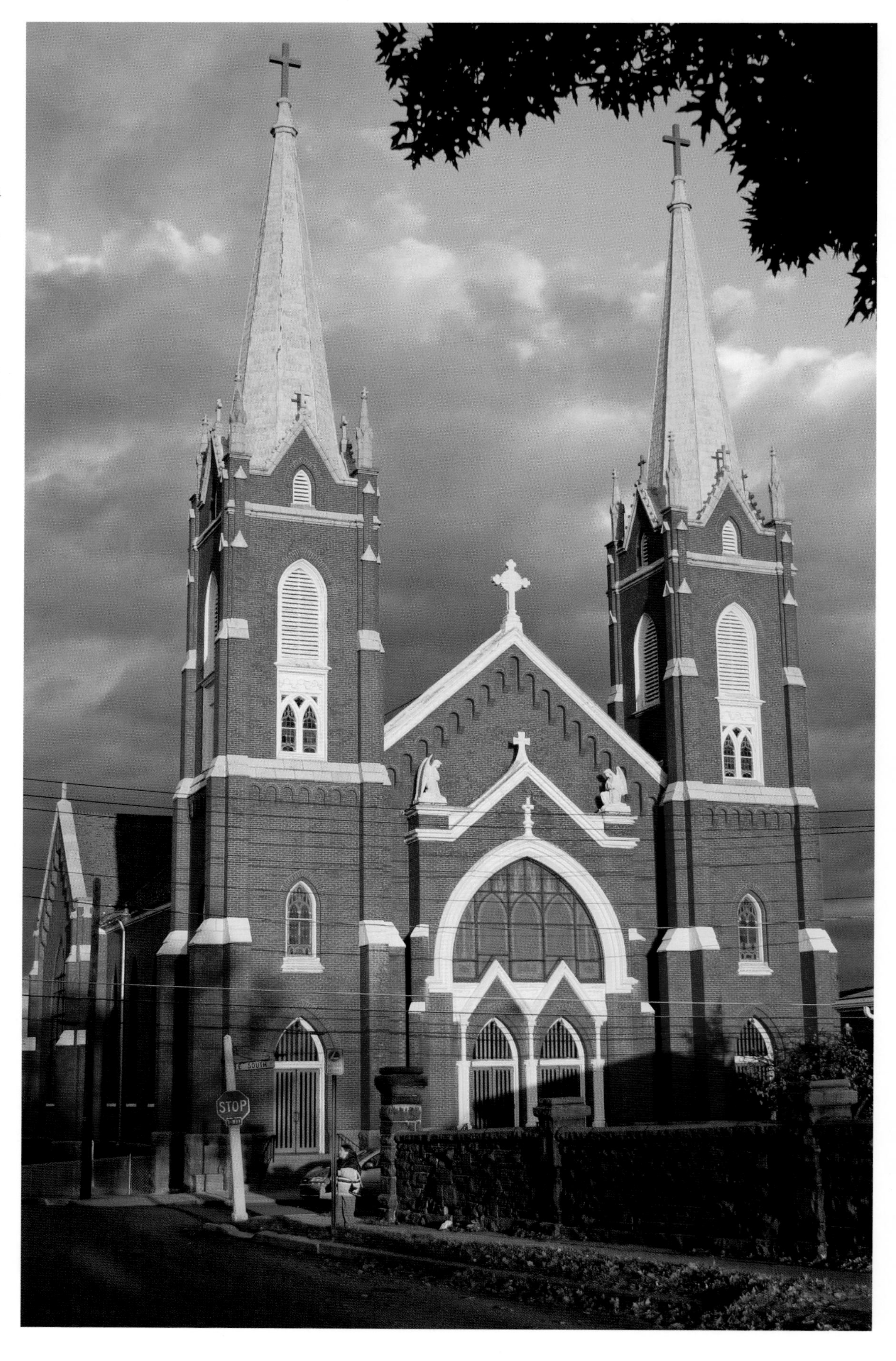


*Holy Trinity Church, 416 E. South Street, Wilkes-Barre, Pennsylvania*

Švč. Trejybės bažnyčia, Wilkes-Barre, PA, mišių metu.
Holy Trinity Church in Wilkes-Barre, PA, during Mass.

Švč. Trejybės bažnyčios langų vitražai.
Stained glass windows in the Holy Trinity Church.

# BAŽNYČIOS IR JŲ ARCHITEKTŪRA PO 1950 M.

# CHURCHES AND THEIR ARCHITECTURE AFTER 1950

# Bažnyčios ir jų architektūra po 1950 m.

*Algis Lukas*

Didžioji lietuviško architektūrinio ir meninio palikimo Amerikoje dalis yra bažnyčiose, vienuolynuose bei kultūros centruose. Pirmųjų lietuvių imigrantų statytos bažnyčios ir kiti pastatai (1870-1950 m.) atspindėjo tų laikų architektūrines ir menines kryptis Amerikoje. Jų statytos bažnyčios, nors didingos ir puošnios, nedaug skyrėsi nuo kitų tuometinių architektūrinių ir meninių kūrinių.

Antrojo pasaulinio karo pabėgėliai iš Lietuvos buvo jauna ir išsilavinusi karta, tarp kurios buvo daug Lietuvoje ir apskritai Europoje baigusių aukštąsias architektūros ir meno mokyklas. Beaugančios lietuvių bendruomenės Amerikoje sudarė progą po karo į šią šalį atvykusiems lietuviams architektams ir menininkams statyti naujas bažnyčias, vienuolynus ir kultūrinius centrus, turinčius lietuvių liaudies meno bei architektūros bruožų. Šio skyriaus puslapiuose paminimi kai kurie lietuviai architektai, pasižymėję lietuvių religinių ir kultūrinių pastatų kūryba. Žymesnieji menininkai ir skulptortiai kurie kūrė architektrūrinį arba nekilnojamą meną yra pristatomi šio albumo „Nekilnojamas Menas“ skyriuje.

## Jonas Mulokas (1907-1983)

Jonas Mulokas yra vienas žymiausių pokario laikotarpio lietuvių architektų, pritaikiusių lietuvių liaudies meno motyvus naujai architektūrai Amerikoje. J. Mulokas gimė Lietuvoje, studijavo Vytauto Didžiojo universitete Kaune, karo metu (1944 m.) pasitraukė į Vokietiją, kur garsėjo lietuviškų kryžių ir koplytstulpių kūryba. 1949 m. atvykęs į Ameriką, J. Mulokas pasižymėjo sugebėjimu perkelti lietuvių liaudies architektūros elementus į mūrinę, monumentalinę statybą. Jis išvystė lietuvišką architektūrinį stilių, kurį pritaikė bažnyčioms.

Švč. Mergelės Marijos Gimimo bažnyčia Čikagoje, pašventinta 1957 m., yra vienas reikšmingiausių Jono Muloko architektūrinių darbų. Tuometinis parapijos klebonas pageidavo, kad nauja bažnyčia atspindėtų Lietuvoje esančias bažnyčias. Mulokas sukūrė bažnyčios korpusą baroko stiliumi, kuris buvo plačiai naudojamas Lietuvoje, o frontiniai bokštai primena lietuviškas varpines. Bokštų viršūnes vainikuoja koplytstulpio formos stogeliai. Bažnyčios vidaus ornamentikai buvo pakviestas žymus menininkas Vytautas K. Jonynas, kuris paruošė vitražus ir vidinių skliautų bei kapitolių papuošimus. Vitražai vaizduoja įvairių Lietuvos šventovių Mariją ir kitus šventuosius, o ornamentika įjungia lietuviškus liaudies meno elementus. Priekiniame fasade, virš durų, yra skulptoriaus V. Kašubos sukurti keturių Lietuvos Madonų reljefai. Virš rožinio lango matyti skulptoriaus R. Mozoliausko sukurtas kenčiančios Lietuvos simbolis - Septynių Kalavijų Madona. Švč. Mergelės Marijos Gimimo bažnyčia pasižymi kaip vienas geriausių lietuviškos architektūros pavyzdžių Amerikoje.

Nekalto Švč. Mergelės Marijos Prasidėjimo bažnyčiai East St. Louis, Illinois, Mulokas sukūrė projektą, kurio fasadas su aukštu kylančiu bokštu primena lietuviškas varpines, o bokšto viršūnė – lietuviškus koplytstulpius. Altorius sukurtas, panaudojant lietuviškų kryžių motyvus. Dail. V. K. Jonyno sukurtuose vitražuose vaizduojamas Švč. Mergelės apsireiškimas, Lietuvos Marijos atvaizdai, o mažesniuose vitražuose Lietuvos istoriniai bei krikščionybės personažai. Skulptorius Vytautas Kašuba sukūrė šv. Kazimiero ir Marijos skulptūras šoniniams altoriams. Bažnyčia pašventinta 1956 m., o 2004 m. St. Clair apygarda (County), pripažino šią bažnyčią kaip istoriniai reikšmingą pastatą.

1962 m. pašventinta nauja, arch. Jono Muloko suprojektuota, Kristaus Atsimainymo bažnyčia Maspeth, New Yorke. Šiai bažnyčiai Mulokas pasirinko klojimo formos motyvą (A-forma), kurio pagrindinis statybos elementas yra stogas, nes ši forma reikalauja mažiausiai statybinių medžiagų. Bažnyčios stikliniame fasade dominuoja Aleksandro Marčiulionio iš aliuminio nukalta šv. Kazimiero statula. Bažnyčios šone stovi aukštas, plytinis varpinės bokštas, primenantis lietuvišką koplytstulpį.

Vidaus įrengimui, vitražams ir ornamentikai buvo pakviestas V. K. Jonynas. Bažnyčios visuma sudaro unikalų lietuviškos architektūros vaizdą. Už šią bažnyčią Amerikos architektų sąjunga paskyrė J. Mulokui premją, o „New York Times" laikraštis 1962 m. gruodžio 2 d. laidos pirmame puslapyje paskelbė, kad tais metais Kristaus Atsimainymo bažnyčia buvo tarp aukščiausiai įvertintų architektūrinių darbų New Yorke.

## Stasys Kudokas (1898-1988)

Stasys Kudokas studijavo kelių inžineriją Sankt Peterburge (Rusijoje), 1924 m. baigė Kauno meno mokyklą, o 1930 m. Romoje įsigijo architektūros daktaro laipsnį. Lietuvoje buvo paskirtas Kauno miesto savivaldybės architektu; 1941-1944 m. - Vytauto Didžiojo universiteto Architektūros katedros vedėju. Atvykęs į Ameriką 1949 m., S. Kudokas vėl įsijungė į architektūrinę kūrybą. Jis suprojektavo Dievo Motinos Nuolatinės Pagalbos parapijai Cleveland, Ohio, naują bažnyčią, kleboniją, mokyklą, seselių vienuolių namus ir salių kompleksą, kuriam būdingas monumentalumas ir klasinių formų išraiškos. Statybos paruošimo darbuose dalyvavo Eduardas Kersnauskas. Bažnyčios vidaus įrengimams, vitražams ir papuošimui buvo pakviestas dailininkas Kazys Varnelis. Dievo Motinos statulą virš didžiųjų durų lauko pusėje sukūrė skulptorius Vytautas Raulinaitis. Viso komplekso statyba tęsėsi nuo 1950 iki 1967 metų. 1987 m. bažnyčios vidus buvo atnaujintas, vadovaujant architektui E. Kersnauskui. Skulptorius Ramojus Mozoliauskas sukūrė keturias Lietuvos Madonų skulptūras. Šis pastatų ansamblis yra vienas žymesnių lietuvių kultūrinių centrų Amerikoje.

## Jonas Kova-Kovalskis (1906-1977)

Jonas Kova studijavo Prancūzijos Grenoble architektūros mokykloje ir Paryžiaus dailės mokykloje (Ecole Regionale Superieure des Beaux-Arts) 1930-1935 m. Grįžęs į Lietuvą, dirbo Kauno miesto savivaldybėje, dėstė Kauno aukštesniojoje technikos mokykloje, Taikomosios ir dekoratyvinės dailės institute ir vėliau vadovavo Vytauto Didžiojo universiteto Architektūros ir meno istorijos katedrai. Lietuvoje jis suprojektavo daug reikšmingų pastatų ir paruošė miesto išplanavimo projektų. Karo metu pasitraukė į Vokietiją, o 1949 m. atvyko į Ameriką. Jis įkūrė privačią architektūros praktiką ir suprojektavo žymių pastatų Amerikos lietuvių visuomenei Čikagoje: Šv. Kryžiaus vienuolyną, (1954), Marijonų vienuolyną; laikraščio „Draugas" spaustuvę ir įstaigas (1956); Jėzuitų koplyčią, vienuolyną ir Jaunimo centrą (1958). Šiems pastatams būdingos modernios klasikinės architektūros formos ir gausūs lietuvių liaudies architektūros bei dailės motyvai.

## Kazys Kriščiukaitis (1901-1965)

Kazys Kriščiukaitis įsigijo inžinerijos diplomą 1927 m. Lietuvoje. 1928-1929 m. studijas gilino Paryžiuje. Nuo 1931 m. dėstė Vytauto Didžiojo universitete. Bendradarbiaudamas su kitais tuo meto žymiais Lietuvos architektais, projektavo ir prižiūrėjo valstybinių rūmų statybas. Karo metu pasitraukė į Vokietiją ir 1949 m. atvyko į Ameriką. 1953 m. paruošė Nakaltai Pradėtosios Švč. Mergelės Marijos lietuvių seserų vienuolių koplyčios projektą, Putnam, Connecticut. Šios koplyčios vidaus išpuošimo ir vitražų menininkas buvo Kazys Varnelis.

## Alfonsas Kulpa-Kulpavičius (1923-)

Alfonsas Kulpa gimė Lietuvoje, studijavo Vytauto Didžiojo universitete (VDU) ir Darmstadto aukštesniojoje technikos mokykloje, kur 1951 m. jam buvo suteiktas inžinerinės architektūros daktaro laipsnis. Gyvendamas Vokietijoje, A. Kulpa laimėjo daug lietuvių ir vokiečių architektūros premijų. 1952 m. atvyko į Kanadą. Ten suprojektavo daug bažnyčių lietuvių parapijoms ir kitų žymių pastatų. 1972 m. jis suprojektavo lietuvių Dievo Apvaizdos parapijos bažnyčią Southfield, Michigan. Šiai bažnyčiai A. Kulpa panaudojo modernias architektūrines formas ir statybines medžiagas. Bažnyčios vidaus įrengimą puošia dailininko V. K. Jonyno vitražai, Nukryžiuoto Kristaus skulptūra virš altoriaus ir krikštykla. Dailininko Jurgio Daugvilos medinis altorėlis stovi bažnyčios gale, o jo raižytas medžio bareliefas „Kryžių kalnas Lietuvoje" puošia vieną bažnyčios sieną.

# Churches and Their Architecture After 1950

*Algis Lukas*

The greatest part of the Lithuanian architectural and art legacy in America is in the churches, monasteries, religious houses and cultural centers. The churches and other buildings built by the first wave of Lithuanian immigrants (1870 – 1950) reflected the architectural styles of that time. Those churches, although grand and ornate, did not differ much from other churches of that period.

The Lithuanian refugees of World War II were a young and well educated generation, among whom, there were many who had graduated from European universities and technical schools with degrees in architecture and arts. The growing Lithuanian communities in America provided opportunities for these post-war architects and artists to build churches, monasteries and cultural centers which have Lithuanian ethnic, architectural, and art characteristics. In this section we introduce some of the architects who distinguished themselves in the design of Lithuanian religious and cultural buildings. Some of the more noteworthy artists and sculptors who participated in architectural or installed art are presented in the "Installed Art" section of this album.

## Jonas Mulokas (1907-1983)

Jonas Mulokas is the most notable, post-war, Lithuanian architects, who adapted Lithuanian ethnic motifs to the new architecture in America. J. Mulokas was born in Lithuania and studied at the Vytautas Magnus University in Kaunas. During the war (1944) he fled to Germany where he gained reputation for his design of Lithuanian wayside shrines and crosses. Upon arriving in America in 1949, J. Mulokas developed a method of transposing Lithuanian architectural elements to brick structures of monumental size. He created a Lithuanian architectural style which he applied to the design of churches.

Nativity of the Blessed Virgin Mary Church in Chicago, consecrated in 1957, is one of the best designs by J. Mulokas. The pastor had requested that the new church would reflect the churches in Lithuania. Mulokas designed the main church in a baroque style, which was widely used in Lithuania, while the front towers resemble the bell towers in Lithuania. The spirals of the towers are crowned with rooftops similar to those of wayside shrines. A Lithuanian artist, Vytautas K. Jonynas, was invited to complete the interior décor, design the stained glass windows, the ornamentation of interior arches, and capitols. The stained glass windows depict Lithuanian Madonnas and other saints while the ornamentation incorporates elements of Lithuanian ethnic art. On the façade, above the front door, V. Kašuba designed the bas-reliefs of four Lithuanian Madonnas. Above the rosette window is a sculpture by R. Mozoliauskas depicting suffering Lithuania in the form of Seven Sorrows of the Virgin Mary. Nativity of the Blessed Virgin Mary church is one of the best examples of Lithuanian architecture in America.

Immaculate Conception Church, East St. Louis, Illinois, was designed by J. Mulokas, with a façade that includes a tower reminiscent of the Lithuanian bell towers, while the top of the tower reminds of the Lithuanian wayside shrines. The altar incorporates elements of the Lithuanian ethnic crosses. The artist, V. K. Jonynas, in his stained glass windows, depicts the apparition of Mary at Šiluva, several Lithuanian Madonnas and portraits of Lithuanian historical and Christian notables. Sculptor, V. Kašuba, designed the statuets of St. Casimir and Blessed Virgin Mary for the side altars. The church was consecrated in 1956 and in 2004 St. Claire County, Historical Society, designated the church as a "Historical Site."

Church of the Transfiguration in Maspeth, New York, designed by J. Mulokas, was consecrated in 1962. For this church J. Mulokas selected the "A" frame as the main element of design, whose main attribute is the roof, because it requires the least amount of building materials. The front façade of the church is dominated by an aluminum sculpture of St. Casimir by the sculptor Aleksandras Marčiulionis. Beside the church there is a tall brick bell tower which has similarities to a Lithuanian wayside chapel. The interior of the church was decorated by

V. K. Jonynas. The church design is a unique representation of Lithuanian architecture. For the design of this church, J. Mulokas received an award of merit from the Society of American Registered Architects. The "New York Times", in its December 2, 1962 issue, on the front page, announced that Church of Transfiguration was among the recipients of highest architectural honors in New York City for that year.

### Stasys Kudokas (1898-1988)

Stasys Kudokas studied highway design in St. Petersburg, Russia; in 1924 he graduated from the Kaunas Art institute and in 1930 obtained a doctorate in architecture in Rome. He was appointed as the chief architect for the city of Kaunas and in 1941-1944 he was the dean of architecture at the Vytautas Magnus University in Kaunas. Upon arriving in America in 1949, S. Kudokas resumed his architectural career. For the parish of Our Lady of Perpetual Help in Cleveland, Ohio, he designed a complex which includes a new church, rectory, grade school, housing for nuns, and a cultural hall building which have monumental and classical elements. Construction was supervised by architect Eduardas Kersnauskas. Artist, Kazys Varnelis, was invited to design the stained glass windows and interior décor of the church. The Mother of God statue, above the front door, was designed by sculptor Vytautas Raulinaitis. The construction of the complex lasted from 1950 to 1967. In 1987 the interior of the church was remodeled under the supervision of arch. E. Kersnauskas. Sculptor Ramojus Mozoliaukas designed the bas-relief wall sculptures of four Lithuanian Madonnas. This building complex is one of the most important Lithuanian religious and cultural centers in America.

### Jonas Kova-Kovalskis (1906-1977)

Jonas Kova studied architecture in Grenoble, France, and at the Paris school of fine arts (Ecole Regionale Superieure des Beaux-Arts) during 1930-1935. Upon returning to Lithuania he worked for the Kaunas city government, was an instructor at the Kaunas technical school, at the Applied Arts Institute and later served as dean of the history of art and architecture faculty at the Vytautas Magnus University. In Lithuania he designed many state buildings and prepared city plans for Kaunas. During the war he fled to Germany and in 1949 immigrated to America. He opened an architectural practice and designed many significant building for the Lithuanian community in Chicago: Holy Cross monastery (1954); Monastery for Marian Fathers, printing and publishing buildings for the newspaper *"Draugas"* (1956); The Jesuit chapel, monastery and Youth Center (1958). The design of these buildings exhibit modern and classic architectural styles and include many Lithuanian architectural motifs.

### Kazys Kriščiukaitis (1901-1965)

Kazys Kriščiukaitis obtained an engineering diploma in Lithuania in 1927. During 1928-29 he continued his studies in Paris. From 1931 he was an instructor at the Vytautas Magnus University in Kaunas. Together with other well known Lithuanian architects, he designed and supervised construction of government buildings. During the war he moved to Germany and in 1949 immigrated to America. In 1953 he designed the chapel for the Sisters of the Immaculate Conception in Putnam, Connecticut. The stained glass windows for the chapel were designed by Kazys Varnelis.

### Alfonsas Kulpa-Kulpavičius (1923- )

Alfonsas Kulpa was born in Lithuania and studied at the Vytautas Magnus University. In 1951 he received a doctorate in architectural engineering from the higher technical school at Darmstadt, Germany. While in Germany, A. Kulpa received many German and Lithuanian architectural awards. In 1952 he immigrated to Canada. There he designed many churches for Lithuanian and other parishes. In 1972 he designed the Divine Providence of God church in Southfield, Michigan. For this church, A. Kulpa used modern architectural forms and construction materials. The interior of the church is decorated by V. K. Jonynas' designed stained glass windows, the statue of Crucified Christ above the altar and the baptistery. A wood engraved altar by artist Jurgis Daugvila is at the rear of the church and his wood carved bas-relief of "Hill of Crosses in Lithuania" decorates a side wall.

Šv. Kazimiero lietuvių katalikų bažnyčia Los Angeles, CA, statyta 1951 m.
St. Casimir Lithuanian Church in Los Angeles, CA, built in 1951.

Šv. Kazimiero bažnyčios didysis altorius sukurtas kun. Kučingio.
St. Casimir Church main altar designed by Rev. Kučingis.

Šventas Kazimieras
Saint Casimir

*St. Casimir Church, 2718 George Street, Los Angeles, California*

D. LASKY

D. LASKY

Švč. Mergelės Marijos Nekalto Prasidėjimo bažnyčia, East St. Louis, Illinois, pastatyta 1956 m. Architektas – Jonas Mulokas.
Immaculate Conception, Lithuanian Catholic Church, East St. Louis, Illinois, built in 1956. Architect – Jonas Mulokas.

D. LASKY

Bažnyčios istorinės reikšmės pažymėjimas.
Historical site designation of the church.

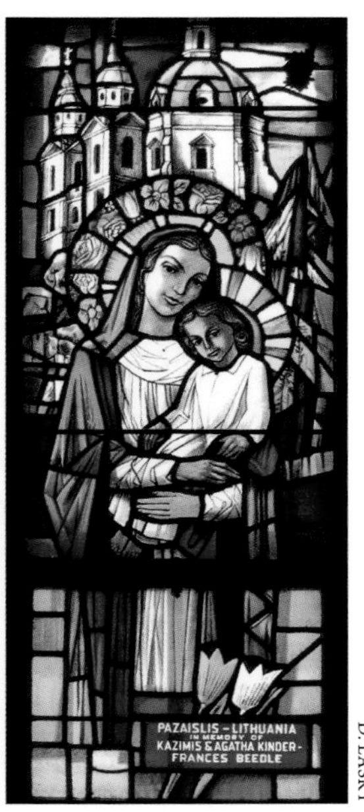


D. LASKY

Lietuvių Madonos bažnyčios vitražuose. Dailininkas – Vytautas K. Jonynas.
The Lithuanian Madonnas in the stained glass windows. Artist – Vytautas K. Jonynas.

*Immaculate Conception Lithuanian Catholic Church, 1509 Baugh Avenue, East St. Louis, Illinois*

Dievo Motinos Nuolatinės Pagalbos bažnyčia, statyta 1952 m. Architektas – dr. Stasys Kudokas; inžinierius – Eduardas Kersnauskas.
Our Lady of Perpetual Help Church, built in 1952. Architect – Dr. Stasys Kudokas; supervising engineer – E. Kersnauskas.

Rūpintojėlis: skulporius R. Mozoliauskas.
Pensive Christ by sculptor R. Mozoliauskas.

Šiluvos Marija: skulptorius R. Mozoliauskas.
Mary of Šiluva by R. Mozoliauskas.

Bažnyčios vargonai ir chorų balkonas.
Church organ and the choir balcony.

*Our Lady of Perpetual Help Lithuanian RC Church, 18022 Neff Road, Cleveland, Ohio*

Dievo Motinos Nuolatinės Pagalbos lietuvių bažnyčios didysis altorius. Bažnyčia statyta 1952 m., atnaujinta 1987 m. Atnaujintos bažnyčios architektas Edurardas Kersnauskas ir skulptorius Ramojus Mozoliauskas.

Our Lady of Perpetual Help, Lithuanian church, main altar. The church, built in 1952, remodeled in 1987. The remodeling was by architect Eduardas Kersnauskas and sculptor Ramojus Mozoliauskas.

*Our Lady of Perpetual Help Lithuanian RC Church, 18022 Neff Road, Cleveland, Ohio*

Švč. Mergelės Marijos Gimimo bažnyčia Čikagoje, statyta 1957 m. Architektas – Jonas Mulokas.
Nativity of Blessed Virgin Mary Church in Chicago, built in 1957. Architect – Jonas Mulokas.

*Nativity of the Blessed Virgin Mary church, 6812 South Washtenaw Ave., Chicago, Illinois*

Švč. Mergelės Marijos Gimimo bažnyčios vidaus dekoracijos ir vitražai dailininko Vytauto K. Jonyno.
Nativity of the Blessed Virgin Mary Church, interior décor and stained glass windows by Vytautas K. Jonynas.

Seselės Mersedes munumentalus Šiluvos Marijos freskas puošia šoninį altorių.
Our Lady of Šiluva monumental fresco by Sister Mercedes decorates the side altar.

Vitražai dailininko Vytauto K. Jonyno.
Stained glass windows by Vytautas K. Jonynas.

*Nativity of the Blessed Virgin Mary Church, 6812 South Washtenaw Ave., Chicago, Illinois*

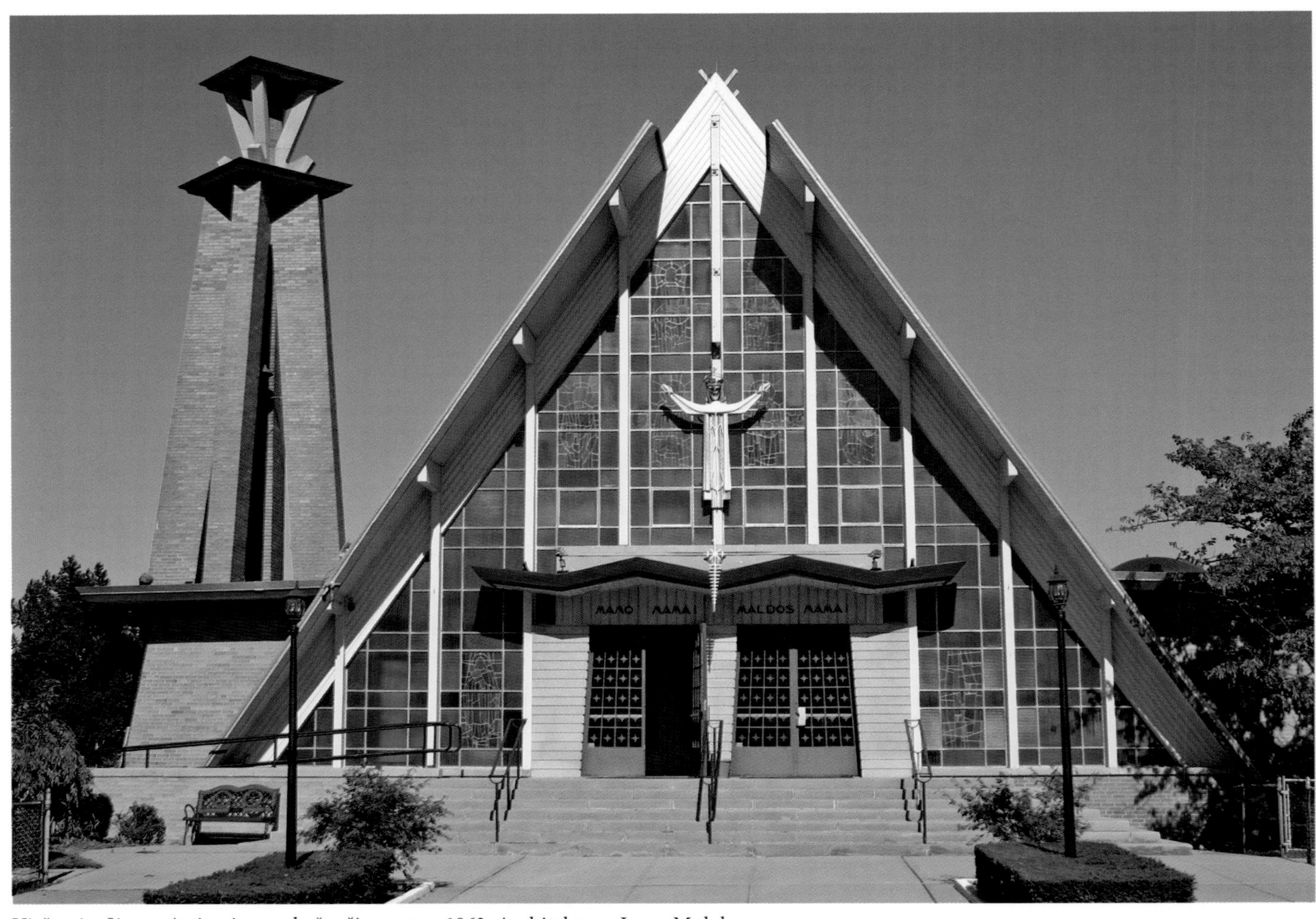

Viešpaties Jėzaus Atsimainymo bažnyčia, statyta 1962. Architektas – Jonas Mulokas.
Church of the Transfiguration, built in 1962. Architect – Jonas Mulokas.

Šventas Kazimieras – A. Marčiulionis.
Saint Casimir – A. Marčiulionis.

Bažnyčios vidaus vitražai, dailininkas Vytautas K. Jonynas.
Stained glass windows inside the church, artist Vytautas K. Jonynas.

*Church of the Transfiguration, 64-14 Clinton Avenue, Maspeth, New York*

Viešpaties Jėzaus Atsimainymo bažnyčios vidus, dekoracijos dailininko Vytauto K. Jonyno.
Church of the Transfiguration interior decoration by artist Vytautas K. Jonynas.

Didysis altorius – Jėzaus atsimainymas.
Main altar – the transfiguration.

Šv. Mergelė Marija.
The Virgin Mary.

Šoninis altorius.
Side altar.

*Church of the Transfiguration, 64-14 Clinton Avenue, Maspeth, New York*

Švč. Mergelės Marijos Nekaltojo Prasidėjimo bažnyčia, statyta 1964. Architektas – Edo Belli.
Immaculate Conception Church built in 1964. Architect – Edo Belli.

Kirkštykla ir šoninis bažnyčios įėjimas.
The baptistery and the side entrance to the church.

Mergelės Marijos vitražas virš balkono.
Stained glass window of Virgin Mary.

*Immaculate Conception Church, 2745 West 44th St., Chicago, Illinois*

Didysis altorius.
The main altar.

Galinio lango vitražas – Conrad Schmitt vitažų studija.
The rear stained glass window by Conrad Schmitt Studios.

Bažnyčios šoninės sienos langų vitražai.
Stained glass windows along the side wall of the church.

Mergelės Marijos šventovė.
The Virgin Mary shrine.

*Immaculate Conception Church, 2745 West 44th Street, Chicago, Illinois*

B. ČIKOTAS

B. ČIKOTAS

Šiluvos Marijos koplyčios sienų mozaikos: Šv. Kazimieras ir Rūpintojėlis. Dailininkas – Vytatuas K. Jonynas.
Our Lady of Šiluva chapel wall mosaics: St. Casimir and The Pensive Christ. Artist – Vytautas K. Jonynas.

Tautinė Nekaltojo Prasidėjimo šventovė.
National Shrine of Immaculate Conception.

B. ČIKOTAS

Šiluvos Marijos koplyčios lubų mozaikos. Dailininkas – Albinas Elskus.
Our Lady of Šiluva chapel ceiling mosaics. Artist – Albinas Elskus.

*Our Lady of Šiluva Chapel at the National Shrine of Immaculate Conception, Michigan Ave. & 4th St. NE, Washington, DC*

Šiluvos Marijos koplyčia, pašventinta 1966 m. Šiluvos Marijos statula – skulptorius Vytautas Kašuba. Altorius – Vytautas K. Jonynas.

Our Lady of Šiluva chapel dedicated in 1966. Statue of Our Lady of Šiluva – sculptor Vytautas Kašuba. The altar – Vytautas K. Jonynas.

*Our Lady of Šiluva Chapel at the National Shrine of Immaculate Conception, Michigan Ave. & 4th St. NE, Washington, DC*

Šv. Kryžiaus bažnyčia Dayton, Ohio, pastatyta 1915 m. ir 1964 m. atnaujinta. Architektas Jonas Mulokas.
Holy Cross Church, Dayton, Ohio, built in 1915 and remodeled in 1964 by Architect Jonas Mulokas.

Vitražus sukūrė Adolfas Valeška.
Stained glass windows by Adolfas Valeška.

Šv. Kryžiaus bažnyčios atnaujintas vidus. Vitražai sukurti Adolfo Valeškos. Bažnyčia yra įtraukta į istoriniai reikšmingų pastatų sąrašą.
Holy Cross church interior. The stained glass windows by Adolfas Valeška. The church is listed in National Register of Historic Places.

*Holy Cross Church, 1924 Leo Street, Dayton, Ohio*

Šiluvos Marijos bažnyčia, statyta 1966 m. Bareljefas virš altoriaus vaizduoja Marijos apsireiškimą. Dailininkas – Vytautas K. Jonynas.
Our Lady of Šiluva Church built in 1966. The bas-relief over the altar portrays the apparition of Mary. Artist – Vytautas K. Jonynas.

Šiluvos Marijos bažnytėlės priekinis fasadas.
Our Lady of Šiluva Church front facade.

Šiluvos Marijos statula.
Our Lady of Šiluva statue.

*Our Lady of Šiluva R.C. Church, 1314 Main Street, Maizeville, Pennsylvania*

Dievo Apvaizdos bažnyčios vidaus dekoracijos ir vitražai dailininko Vytauto K. Jonyno.
Providence of God Church Interior decoration and stained glass windows by artist Vytautas K. Jonynas.

Dievo Apvaizdos bažnyčia, statyta 1972 m. Architektas – A. Kulpa/Kulpavičius.
Providence of God Church, built in 1972. Architect – A. Kulpa/Kulpavičius.

Šoninis altorius. Dailininkas – V. K. Jonynas.
Side altar. Artist – V. K. Jonynas.

*Providence of God Church, 25335 West Nine Mile Road, Southfield, Michigan*

Rūpintojelio vitražas ir krikštykla. Dailininkas – Vytautas K. Jonynas.
The Pensive Christ stained glass window and baptistery by Vytautas K. Jonynas.

Mažasis altorius ir „Kryžių Kalnas“ Lietuvoje. Medžio dailininkas – Jurgis Daugvila.
Small altar and the “Hill of Crosses” in Lithuania by wood carving artist Jurgis Daugvila.

*Providence of God Church, 25335 West Nine Mile Road, Southfield, Michigan*

# VIENUOLYNAI

# RELIGIOUS HOUSES

# Vienuolynai

*Antanas Saulaitis, SJ*

Moterų bei vyrų vienuolijų vaidmuo Amerikos lietuvių gyvenime yra labai reikšmingas. Pašauktos tarnauti Dievui, Katalikų Bažnyčiai ir žmonėms, vienuolijos plėtė savo veiklą į imigrantų ir jų palikuonių gyvenamas vietas. XX a. pradžioje trys moterų vienuolijos įsisteigė kaip tik lietuvių imigrantų ir jų palikuonių švietimui bei sielovadai.

Vienuolės dirba mokyklose, ligoninėse, senelių globos namuose, įvairioje sielovadoje, vaikų bei jaunimo religinio auklėjimo srityje. Vienuoliai kunigai bei broliai tarnauja parapijose, mokyklose, jaunimo sielovadoje. Jų misijos dalis yra leidyba, raštas ir įvairi žiniasklaida. Visi dalyvauja kultūriniame, socialiniame, šviętėjiškame ir religiniame Amerikos lietuvių gyvenime, patarnaudami ir kitiems žmonėms.

Sovietmečiu vienuoliai bei vienuolės dalyvaudavo maldos vakaruose ir apeigose, minėjimuose, užtariant Lietuvą, tikėjimą ir žmogaus teises. Lietuvai atkūrus nepriklausomybę 1990-to dešimtmečio pradžioje, šios vienuolijos skubėjo susisiekti su Bažnyčia, su vienuolėmis bei vienuoliais Lietuvoje, stengdamiesi padėti savo sesėms ir broliams pereiti iš pogrindžio į modernaus pasaulio iššūkius ir galimybes. Talka buvo medžiaginė, dvasinė, švietimo, suaugusių lavinimo. Vienuolijos priima vienuoles ar vienuolius iš Lietuvos mokslui, praktikai ir darbui Amerikoje.

## Šv. Kazimiero seserų kongregacija

Kazimierietės buvo pirmoji lietuvių kilmės vienuolija Amerikoje, įsteigta 1907 m. Kun. Antano Staniukyno suburtos – Motina Marija Kaupaitė ir bendrės – pradėjo veikti Mount Carmel, Pennsylvanijoj, siekdamos katalikiškai auklėti imigrantų vaikus, patarnauti jų šeimoms ir rūpintis vargstančiais. Vienuolijai išaugus, seserys vadovavo 50 lietuvių parapijų mokyklose rytų Amerikoje, šešiose gimnazijose, trijose ligoninėse, dviejuose senelių globos namuose ir misijoje New Mexico valstijoje. Marijos gimnazija (anksčiau Šv. Kazimiero akademija 1911-1952) ir Šv. Kryžiaus ligoninė (1922), kartu su seserų motiniškais namais (1911), sudaro vienuolyno sodybą Čikagoje. Nuo 1920 m. vienuolija įsteigė misiją Lietuvoje, kol ilgainiui seserys kazimierietės įsitvirtino Pažaislyje. Amerikoje gyvenančios seserys padeda savo bendravardėms Lietuvoje atsistatyti po sovietų okupacijos. 1941 m. pradėta Argentinos misija tebeklesti. Čikagos arkivyskupija ir seserys kazimierietės pradėjo savo steigėjos Motinos Marijos Kaupaitės (m. 1941) beatifikacijos bylą.

## Šv. Pranciškaus Dievo Apvaizdos seserys

1922 m. Čikagoje įsteigtos, Šv. Pranciškaus Dievo Apvaizdos seserys savo motiniškus namus 1925 m. įkūrė Pittsburgh, PA, pakraštyje. Jų siekis yra religinis vaikų auklėjimas, ligonių slauga, senelių ir našlaičių globa, teikiama tiek lietuviams, tiek ir nelietuviams. Seserys darbavosi parapijinėse mokyklose Pittsburgho, Detroito, Philadelphijos vyskupijose, taip pat Kansas, Ohio, New York, New Jersey, Connecticut ir Wisconsin valstijose. Kai mokyklos buvo sujungiamos ar uždaromos, seserys savo tarnystę praplėtė į sielovadą. Motiniškų namų sodyboje buvusi Šv. Pranciškaus akademija 1926-1951 m. laikotarpiu išleido daugiau kaip 1 500 abiturientų.

Pranciškietės dirbo Lietuvoje 1936-1941 m. ir vėl nuo 1992 m. 1938 m. Sao Paulo, Brazilijoje lietuvių parapijoje pradėjo labai gyvą misiją, kuri išaugo į atskirą provinciją. Seserys pranciškietės savo motiniškus namus praplėtė 1966-1969 m., taip pat po 20 metų atnaujino 1955 m. statytą koplyčią, savo sodyboje pastatė kelis nedidelius maldos namus. Seserų patalpos yra lietuvių bendruomenės veiklos centras. Netoliese yra ir lietuvių kapinės.

## Nukryžiuotojo Jėzaus ir Sopulingos Motinos seserų kongregacija

Tėvai pasionistai patraukė daug jaunų lietuvaičių į artimo meilės ir katalikiško švietimo darbus. 1924 m. Nukryžiuotojo Jėzaus ir Sopulingos Motinos seserų kongregacija įsikūrė Brockton, MA, kur 1945 m. iš Elmhurst, PA, buvo perkelta vienuolijos būstinė.

Nukryžiuotojo Jėzaus seserys mokytojavo daugybėje mokyklų - šiuo metu tebedirba Massachusetts, Pennsylvanijoje ir New Yorke, taip pat darbuojasi senelių globos namuose. Vienuolija savo narių yra siuntusi į universitetus studijuoti lituanistikos.

## Nekaltai Pradėtosios Švč. Mergelės Marijos Vargdienių seserų kongregacija

Arkiv. Jurgis Matulaitis (1987 m. paskelbtas palaimintuoju) šią vienuoliją įsteigė Lietuvoje 1918 m. Pirmosios penkios seserys į Ameriką atplaukė 1936 m., beveik 20 m. darbavosi marijonų įstaigose Connecticut ir Illinois. Savo vienuoliją įkūrė 1939 m. Thompson, CT. 1942 m. pradėjo senelių globos darbą. Į Putnam persikėlė 1943 m., kur metinė susiartinimo šventė liepos mėnesį sodybon sukviečia tūkstančius žmonių.

Pirmąją stovyklą mergaitėms pravedė 1944 m. 1969 m. stovyklą perkėlė į Brattleboro, VT, ir pavadino Neringa. Seserų spaustuvė ir leidykla (Immaculata Press) gyvavo 1948-1988 m., leido "Eglutę", spausdino daugybę maldaknygių, žurnalų, knygų, lankstukų ir kt.. Rūpindamasi jaunimo sielovada, vienuolija, nuo 1949 iki 1970 m., ir kiek vėliau, globojo gimnazisčių ir studenčių bendrabutį.

1955 m. pastatyta koplyčia ir naujokynas; 1977 m. mediniai vienuolyno namai pakeisti mūriniais. Sodybos kapinėse ilsisi seserys, buvę vienuolyno kapelionai, rėmėjai ir kiti lietuviai. 1960-tame dešimtmetyje praplėsti Matulaičio slaugos namai, kad galėtų aptarnauti daugiau senelių bei ligonių. Seserų misijos buvo Montrealis bei Torontas; jos tebesidarbuoja Lemont, IL.

## Švč. Mergelės Marijos Nekalto Prasidėjimo kunigų marijonų vienuolija (marijonai)

Marijonai buvo pirmieji vienuoliai, atvykę iš Lietuvos į Ameriką didžiosios XIX a. imigracijos laikais. Marijonų vienuolija buvo įsteigta 1673 m., o Lietuvoje įsisteigė 1750 m. Arkivyskupas Jurgis Matulaitis atnaujino marijonus 1909 metais.

Pradėję sielovados darbą keliose lietuvių parapijose Čikagoje, marijonai perėmė lietuvių parapijas Wisconsin, Illinois, Indiana ir New York valstijose. Hinsdale, IL, 1926 m. įsteigta mokykla perkelta į Thompson, CT, ir pavadinta Marianapolio kolegija. Ji veikia iki šių dienų. Pagal savo pašaukimą, marijonai dirba lietuvių spaudos darbus, nuo 1914 m. kelis laikraščius sujungė į katalikišką dienraštį „Draugą" (įst. 1909). Dabartinė t. marijonų sodyba su pastatais „Draugo" redakcijai ir spaustuvei pastatyta 1956 m. netoli Midway oro uosto Čikagoje. Spaustuvėje spausdinamos knygos, žurnalai ir atliekami kiti spaudos darbai.

Šv. Kazimiero provincijos lietuviai marijonai tebetarnauja lietuvių misijoje Argentinoje (nuo 1939) ir aptarnauja lietuvių parapiją Adelaidėje, Australijoje. Marijonai Didžiojoje Britanijoje parapijomis bei leidiniais išvystė visą lietuvių sielovados tinklą.

## Mažųjų brolių ordinas (pranciškonai)

Pranciškonai buvo vieni pirmųjų vienuolių Lietuvoje, veikę nuo XIII a. Jų būstinė buvo Kretingoje. Kai II Pasaulinis karas išblaškė visas vienuolijas, kun. Justinas Vaškys 1941 m. atvyko į Pittsburgą, 1944 m. persikėlė į Greene, ME, o 1947 m. įkūrė užsienio lietuvių pranciškonų centrą Kennebunkport, ME. Pranciškonai įsteigė labai gyvastingą Prisikėlimo parapiją Toronte, aptarnauja daugelį lietuviškų bendruomenių Kanadoje ir vadovauja „Kretingos" stovyklai Ontario provincijoje. Jie taip pat įsteigė lietuvių misiją St. Petersburg, FL. Lietuvai atkūrus nepriklausomybę, pranciškonai siuntė savo narių į Lietuvą ir iš ten sulaukia talkos užsienio sielovadai.

Pranciškonų sielovados tinkle buvo kelios parapijos Amerikoje, vienuolynas Brooklyn, New Yorke, kartu su Lietuvių kultūros Židiniu, „Darbininko" spaustuve ir leidykla. Vėliau prisidėjo Lietuvių katalikų informacijos centras, virtęs Lietuvių katalikų religine šalpa. Brooklyno vienuolyne 1984-2003 m. gyveno už užsienio lietuvių sielovadą atsakingas vysk. Paulius Baltaikis, OFM.

Tūkstančiai maldininkų kasmet aplanko šventoves Kennebunkporto vienuolyno sodyboje, kurioje yra ir svečių namai. Dešimtmečius čia veikė berniukų stovykla, keliolika metų, nuo 1956 m. gyvavo Šv. Antano gimnazija.

## Jėzaus draugija (jėzuitai)

Vėliausiai į Ameriką tarp lietuvių dirbti atvyko jėzuitai (1931). Prieš II pasaulinį karą jie su rekolekcijomis bei misijomis lankė lietuvių parapijas. Po karo apie 20 jaunų jėzuitų susibūrė Čikagoje, iš kur netrukus išsiskleidė į lietuvių misijas Kanadoje, Urugvajuje ir Brazilijoje. Jėzuitai 1974 m. sutiko vadovauti parapijai Cleveland, Ohio, o 1980-ąjį dešimtmetį - Lemonto misijoje.

Čikagoje Jaunimo centras, gausių rėmėjų aukų dėka, buvo pastatytas 1956-1957 m. Jame prisiglaudė lituanistinės mokyklos, tautinių šokių grupės, chorai, organizacijos, muziejus, keli archyvai, Čiurlionio galerija, Lituanistikos studijų ir tyrimo centras. Jaunimo centro patalpos praplėstos 1972 ir 1977 m.

Jėzuitai talkino lietuvių parapijoms ir misijoms, 50 metų (iki 2000 m.) leido mėnraštį „Laiškai lietuviams", kapelionavo stovyklose ir organizacijose. Jėzuitų koplyčia prie Jaunimo centro tebeveikia, vienuolijos nariai bendradarbiauja su Jaunimo centro administracija. Po Lietuvos Atgimimo užsienyje gyvenę ir Lietuvoje esantys jėzuitai artimai bendrauja.

Jėzuitai Lietuvon atvyko 1569 m., įsteigė Vilniaus universitetą bei mokyklų ir misijų tinklą; Rusijos carų valdžios uždrausti 1773 m. Į Lietuvą grįžo 1923 m., įkūrė Kauno bei Vilniaus jėzuitų mokyklas, vėl atgaivintas po sovietų okupacijos.

# Religious Houses

*Antanas Saulaitis, S.J.*

The role and heritage of religious congregations of women and men is significant in the life of Lithuanian-Americans. Dedicated to serve God, the Catholic Church and people, their communities spread out and settled wherever immigrants and their descendants could be found. In the early 20th century three women's congregations were founded specifically for this mission.

Religious sisters serve in schools, hospitals, nursing homes, pastoral care of all types, religious education of children and youth. Religious priests and brothers labor in parishes, schools, youth ministers. Publishing, writing and media are an important part of the mission. All were and are involved in cultural, social, educational and religious lives of Lithuanian Americans while serving the broader population.

During the Soviet occupation of Lithuania religious women and men in the United States participated in prayer vigils and special services, commemorations and other efforts on behalf of religious and human rights. As Lithuania regained its independence in the early 1990's, these congregations rushed to establish better contact, helped to bring the Church and their religious sisters and brothers from the underground into modern challenges and opportunities facing the Church and welcoming religious from Lithuania for study, internships and religious work in America.

## Sisters of Saint Casimir

The first congregation of Lithuanian heritage founded in the United States is the Sisters of Saint Casimir in 1907. Mother Maria Kaupas and companions began very humbly in Mount Carmel, PA, with the sponsorship of Fr. Antanas Staniukynas. Their main mission was the Christian education of immigrant youth, service to their families and health care for the needy. As the number of sisters grew, the congregation served up to 50 parochial schools, primarily in Lithuanian parishes in the eastern United States, six high schools, three hospitals and two homes for the elderly, a mission in New Mexico. Maria High School (called Saint Casimir's Academy 1911-1952) and Holy Cross Hospital (1922) are part of the Catholic campus adjacent to the Sisters' Motherhouse (1911) in Chicago. The congregation had a mission in Lithuania from 1920 until a native community of sisters was firmly established at Pažaislis. The sisters assist their counterparts in Lithuania in their task of reconstruction after fifty years of Soviet occupation. The Argentine mission, begun in 1941, continues today. The archdiocese of Chicago and the Sisters of Saint Casimir have begun the beatification process for their foundress, Mother Maria Kaupas (d. 1941).

## Sisters of Saint Francis of the Providence of God

Founded in Chicago in 1922, the Sisters of Saint Francis of the Providence of God established their Motherhouse in the outskirts of Pittsburgh, PA, by 1925. Their inspiration was the religious education of children, care of the sick, elderly and orphans of the Lithuanian immigrants and beyond. The sisters served schools in the dioceses of Pittsburgh, Detroit, Philadelphia, and in Kansas, Ohio, New York, New Jersey, Connecticut and Wisconsin. When schools were consolidated or closed, the sisters expanded their ministry into pastoral care. Saint Francis Academy, on the grounds of the Motherhouse, graduated more than 1,500 from 1926 to 1991.

The Sisters of St. Francis ministered in Lithuania, 1936-1941, and again from 1992. From 1938 they have a very active mission at the Lithuanian parish in Sao Paulo, Brazil. The Motherhouse was expanded in 1966-1969, a chapel, built in 1955 and was renewed two decades later. Several hermitage houses were built on the grounds. The sisters' facilities serve as a community center for Lithuanians. Lithuanian cemetery is nearby.

## Sisters of Jesus Crucified and the Sorrowful Mother

The inspiration of the Passionist Fathers towards works of mercy and Catholic education attracted young Lithuanian women to found the congregation in 1924 in Brockton, to which their center was moved from Elmhurst, PA, in 1945. The Sisters of Jesus Crucified served in many schools, presently in Massachusetts, Pennsylvania, and New York, as well as the elderly in nursing homes. The sisters fostered Lithuanian culture, language and traditions and sent their members to universities for Lithuanian studies.

## Sisters of the Immaculate Conception (Sisters of the Poor)

Archbishop Jurgis Matulaitis (declared Blessed in 1987) founded this congregation in Lithuania in 1918. The first five sisters came to the United States in 1936 and served in ministries of the Marian Fathers in Connecticut and Illinois. Their own community found a home in Thompson, CT, in 1939, beginning service to the elderly in 1942. The central foundation settled in Putnam in 1943 and continues to this day. The annual Summer Festival in July attracts thousands from New England and the East.

The sisters began a Lithuanian summer camp for girls in 1944 which from 1969 continues as Camp Neringa in Brattleboro, VT. Immaculata Press, a favorite publishing and printing house functioned from 1948 to 1988. They published children's magazine *"Eglutė"* (The Little Fir), many prayer books, magazines, books, brochures, etc. Active in ministry to youth, the congregation had a boarding house for Lithuanian high school and college girls from 1949 to the 1970's. A chapel and novitiate was constructed in 1955 and the wooden convent replaced in 1977. The cemetery is the final resting place of many Sisters, their chaplains and benefactors and friends. In the early 1960's Matulaitis Nursing Home expanded the initial ministry to the elderly and sick. The sisters had Missions in Montreal and Toronto and serve in Lemont, IL.

## Congregation of the Marians of the Immaculate Conception (Marians)

The earliest of religious men to come from Lithuania to the United States in the service of the massive immigration at the end of the 19th and beginning of the 20th century were the Marians. This community, founded in 1673, came to Lithuania in 1750 and was reborn in 1909 by the efforts of Archbishop Jurgis Matulaitis.

Beginning with several parishes in Chicago, the Marians took over Lithuanian parishes in Wisconsin, Illinois, Indiana, and New York. Their school in Hinsdale, IL (1926) was moved to Thompson, CT, called Marianapolis College, and functions to this day. The Marians undertook work with the Lithuanian press in 1914, consolidating several publications into the daily "Draugas" (Friend) in Chicago. Their headquarters in southwest Chicago, near Midway airport, was built in 1956 along with a new printing plant for the newspaper and for countless Lithuanian books and magazines.

The Lithuanian Marians continue serving missions in Argentine since 1939, minister at the Lithuanian parishes in Adelaide, Australia, and service a network of parishes in Great Britain.

## The Order of Friars Minor (Franciscans)

Franciscans were among the first religious in Lithuania since the 13th century. Their base was Kretinga in western Lithuania.

When World War II scattered all religious communities, Fr. Justinas Vaškys arrived in Pittsburgh in 1941, moving to Greene, ME, in 1944. He established the headquarters of the Lithuanian Franciscans outside Lithuania at Kennebunkport, ME, in 1947. The Fathers created a vibrant parish in Toronto and serve a chain of Lithuanian communities and a summer camp in Ontario. There is a Lithuanian mission in St. Petersburg, FL. The Franciscan ministries included parishes in several U.S. cities, another monastery in Brooklyn, NY. A Lithuanian Cultural Center completed the Brooklyn campus along with a printing plant and publishing house. Later, the Lithuanian Catholic Information Center, converted into Lithuanian Catholic Religious Aid, had its offices at the Franciscans. Bishop Paulius Baltakis, OFM, responsible for Lithuanians outside Lithuania (1984-2003) also resided here.

The Lithuanian religious shrines and guest lodge at the Kennebunkport monastery attract thousands of pilgrims each year. A Lithuanian summer camp for boys functioned for decades and St. Anthony's High School for a dozen years from 1956.

## The Society of Jesus (Jesuits)

The last of the men's religious communities from Lithuania to have a base in America are the Jesuits, serving here since 1931. At the beginning itinerant parish missions constituted the bulk of their ministry, but after World War II more than twenty refugees settled in Chicago's southwest side. Very soon members were sent off to missions among Lithuanians in Canada, Uruguay, and Brazil. The Jesuits undertook a parish in Cleveland in 1974 and the Lithuanian mission in Lemont, IL, in the late 1980's.

The Lithuanian Jesuit Youth Center was built in 1956-1957 with wide support from the Lithuanian community. The Youth Center is home to Lithuanian cultural schools, choirs, folk dance groups, societies and organizations, museum and several archives, art gallery, and center of Lithuanian studies. The facility was enlarged in 1972 and 1977.

The Jesuits helped out in Lithuanian parishes and missions, published the monthly *"Laiškai lietuviams"* (Letters to Lithuanians), served as chaplains to youth organizations and at scout and other camps, gave a variety of retreats. The Jesuit chapel continues religious services and the men collaborate with the lay administration of the Lithuanian Center. After Lithuania's rebirth there is a lively exchange of Jesuits to and from Lithuania.

Jesuits came to Lithuania in 1569, founded the University of Vilnius and many schools and missions. They were suppressed in 1773 but, returned in 1923 to establish the Kaunas and Vilnius Jesuit Schools which were reactivated once more after the Soviet occupation.

Šv. Kazimiero seserų vienuolyno motiniškieji namai, statyti Čikagoje 1911 metais.
Sisters of Saint Casimir Convent Motherhouse in Chicago, built in 1911.

Šv. Kazimiero seserų įkūrėjos Marijos Kaupaitės sarkofagas vienuolyno koplyčioje.
The sarcophagus of Maria Kaupas, the foundress of Sisters of St. Casimir.

Šv. Marijos altorius vienuolyno koplyčioje.
St. Mary's altar in the convent chapel.

*Sisters of Saint Casimir, 2601 W. Marquette Road, Chicago, Illinois*

J. TAMULAITIS

Švento Kazimiero seserų įsteigtos Šv. Kryžiaus ligoninės naujausi pastatai. Ligoninė įsteigta 1922 metais Čikagoje.
The newest wing of Holy Cross Hospital, founded by the Sisters of St. Casimir. The hospital was founded in 1922 in Chciago.

J. TAMULAITIS

Seserų kazimieriečių Marijos aukštesnioji mokykla, įsteigta 1911 metais.
Maria High School, founded by Sisters of St. Casimir in 1911.

Pirmasis dvasios vadas, kun. A. Staniukynas.
First chaplain and mentor, Fr. Staniukynas.

*Holy Cross Hospital, 2701 West 68th St. / Maria High School, 6727 South California Avenue, Chicago, Illinois*

Lietuvių seserų Šv. Pranciškaus Dievo Apvaizdos vienuolynas. Koplyčia dešinėje, statyta 1925 metais.
Lithuanian sisters of St. Francis Providence of God convent. The chapel is on the right, built in 1925.

Vienuolyno koplyčios vidus.
Convent chapel interior.

Muziejaus kampelis: „Liūdinti Lietuva" – Jurgis Mikalauskas.
A corner in the museum: "Grieving Lithuania," by George Mikalauskas.

*Sisters of St. Francis of the Providence of God, 3603 McRoberts Road, Pittsburgh, Pennsylvania*

Nukryžiuotojo Jėzaus Seserų, Sopulingosios Dievo Motinos vienuolyno, motiniškieji namai, atidaryti 1945 metais.
Sisters of Jesus Crucified, Our Lady of Sorrows Convent, Motherhouse opened in 1945.

Šv. Juozapo Slaugos namai ir senelių prieglauda, atidaryta 1965 m. ir praplėsta 1976 m.
St. Joseph Nursing Home and assisted living facility built in 1965 and expanded in 1976.

Vienuolyno koplyčios altorius.
Convent chapel main altar.

*Sisters of Jesus Crucified, 261 Thatcher St., Brockton, Massachusetts*

Nekaltai Pradėtosios Šv. Mergelės seserų Marijos koplyčia, statyta 1955 m. Altoriaus ir sienų tapyba dailininko Kazio Varnelio.
Sisters of Immaculate Conception convent, St. Mary's chapel, built in 1955. Altar and wall paintings by artist Kazys Varnelis.

Nekaltai Pradėtosios Švč. Mergelės Seserų vienuolyno rūmai ir koplyčia statyti 1955 m.
Sisters of the Immaculate Conception Convent buildings and chapel built in 1955.

Šv. Marijos statula pasitinka svečius.
St. Mary's statue greets the visitors.

*The Sisters of the Immaculate Conception of Blessed Virgin Mary, 600 Liberty Highway, Putnam, Connecticut*

Matulaičio Slaugos namai ir senelių prieglauda, pastatyti 1968 metais.
Matulaitis Nursing Home and assisted living for the elderly, built in 1968.

Vilniaus Aušros Vartų Marija.
Dailininkas – Vytautas Kašuba.
Our Lady of Vilnius by Vytautas Kašuba.

Matulaičio Slaugos namų koplytėlės altorius su prisikėlusiu Kristumi ir šoninis altorius su gyvybės medžiu. Dailininkas – Vytautas K. Jonynas.
The Matulaitis Nursing Home Chapel with Risen Christ above the main altar and the tree of life at the side altar. Artist – Vytautas K. Jonynas.

*Sisters of the Immaculate Conception, Matulaitis Nursing Home, 10 Thurber Road, Putnam, Connecticut*

Tėvų marijonų vienuolynas Čikagoje, statytas 1952 m., architektas – Jonas Kova-Kovalskis.
The Marian Fathers monastery in Chicago, built in 1952, architect – Jonas Kova-Kovalskis.

J. TAMULAITIS

Tėvų marijonų leidykla, kurioje yra leidžiamas seniausias lietuvių dienraštis „Draugas".
The Marian publishing house where the oldest Lithuanian daily "Draugas" is printed.

Tėvų marijonų koplyčios šoninis altorius.
Side altar in the Marian Fathers chapel.

*Marians of the Immaculate Conception, 6336 South Kilbourn Avenue, Chicago, Illinois*

Tėvų marijonų įsteigta Marianapolio aukštesnioji mokykla atidarė duris 1931 metais.
Marianapolis preparatory school, founded by the Marian Fathers, opened its doors in 1931.

Vienas Marianapolio aukštesniosios mokyklos klasių pastatų „St. John's Hall".
One of Marianapolis preparatory school classroom buildings, "St. John's Hall."

Kryžiaus kelių stotis Marianapolio parke.
Stations of the Cross at Marianapolis.

*Marianapolis Preparatory School, 26 Chase Road, Thompson, Connecticut*

Švento Antano lietuvių pranaciškonų vienuolyno pastatai su aplinkiniu sodu ir miškeliu, tėvų pranciškonų nupirkti 1947 metais.
St. Anthony Lithuanian Franciscan monastery residence, with surrounding gardens and woods, bought by Franciscan Fathers in 1947.

Kryžiaus kelių koplyčia, statyta 1959 m., ir Lurdo Dievo Motinos groto, statyta 1953 m. Architektas – Jonas Mulokas.
Chapel for the Stations of the Cross, built in 1959, and Grotto of Our Lady of Lourdes, built in 1953. Architect – Jonas Mulokas.

*Lithuanian Franciscan Monastery, 26 Beach Avenue, Kennebunk, Maine*

Švento Antano koplyčios didysis altorius ir sienos bareljefas 1966 m. Dailininkas - Vytautas K. Jonynas.
Saint Anthony Chapel's main altar and wall bas-relief, 1966. Artist – Vytautas K. Jonynas.

Švento Antano koplyčios vitražai ir šoninis altorius. Dailininkas – Vytautas K. Jonynas.
Saint Anthony's chapel stained glass windows and side altar. Artist – Vytautas K. Jonynas.

*Lithuanian Franciscan Monastery, St. Anthony Chapel, 26 Beach Avenue, Kennebunk, Maine*

Lietuvių jėzuitų Marijos-Kelrodės Mergelės koplyčia ir vienuolynas, statytas 1958 metais. Architektas – Jonas Kova-Kovalskis.
Lithuanian Jesuit, Maria Della Strada chapel and monastery built in 1958. Architect – Jonas Kova-Kovalskis.

Tėvų jėzuitų koplyčios priekinio lango detalė, vaizduojanti jėzuitų atvykimą į Vilnių 1569 m. spalio 10 d. ir koplyčios vidus.
The Jesuit Fathers' chapel front window detail portraying the arrival of Jesuits in Vilnius on October 10, 1569. Interior of the chapel.

*Jesuit Fathers Chapel and Monastery, 2345 West 56th Street, Chicago, Illinois*

Langų vitražai dailininko Kazio Varnelio, 1958 m.
Stained glass windows by artist Kazys Varnelis, 1958.

Švč. Sakramento altorius. Dailininkė – Eleonora Marčiulionienė.
Blessed Sacrament altar by artist Eleonora Marčiulionienė.

Koplyčios vidaus vaizdas į balkoną. Dešinėje skulptūra „Dievo ranka". Dailinikas – Petras Aleksa.
Interior of the chapel with a view of the balcony. On the right is the sculpture "Hand of God" by Petras Aleksa.

*The Jesuit Maria Della Strada Chapel, 2345 West 56th Street, Chicago, Illinois*

# JAUNIMO STOVYKLOS

# YOUTH CAMPS

# Jaunimo stovyklos

*Romualdas Kriaučiūnas*

Gausesniuose Amerikos lietuvių telkiniuose veikia daug įvairių organizacijų – tarp jų skautų ir ateitininkų jaunimo organizacijos. Šios organizacijos, norėdamos sudaryti galimybę toliau auklėti jaunimą, duoti jam progos pabendrauti ir atostogauti gamtoje, įsteigė jaunimo stovyklas. Pasišventusių jaunimo auklėtojų ir vadovų pastangų dėka buvo iš lietuvių visuomenės surinktos aukos, nupirkti žemės sklypai ir įkurtos stovyklavietės jaunimui. Nekalto Prasidėjimo Švč. Mergelės Marijos lietuvaitės vienuolės taip pat įsteigė jaunimo stovyklavietę Vermont valstijos kalnuose. Visose jaunimo stovyklavietėse buvo bandoma sukurti lietuvišką aplinką, pastatant lietuviškais liaudies motyvais papuoštus namelius, koplytėles, kryžius, koplytstulpius ir paminklus. Amerikoje yra įkurtos keturios, lietuvių organizacijoms priklausančios, jaunimo stovyklavietės. Kitos lietuvių jaunimo stovyklos yra rengiamos lietuviams nepriklausančiose stovyklavietėse. Yra stovyklaujama amerikiečių skautų, YMCA ir valdiškų parkų stovyklavietėse.

Jaunimo stovyklos yra vienos svarbiausių lietuvybės ugdymo ir išlaikymo priemonių. Jos sudaro jaunuoliams sąlygas pabūti tarp bendraamžių lietuvių, pagyventi lietuviška nuotaika ir susipažinti su pagrindinėmis lietuvių tautos vertybėmis. Stovyklos papildo šeštadieninių lietuviškų mokyklų mokyklinį auklėjimą, atskleidžia naują gyvenimo pusę – gamtos pasaulį, kurio didmiestyje augantis jaunimas beveik nepažįsta. Stovyklos suteikia progą save ugdyti, mokytis, meniškai reikštis, bendrauti, pailsėti ir maloniai praleisti laiką.

Susipažinkime su keturiomis, lietuviams priklausančioms, jaunimo stovyklavietėmis.

## Dainava

Dainavos jaunimo stovyklavietė buvo nupirkta 1955 m. Amerikos Lietuvių Romos Katalikų federacijos vardu, o pirmoji stovykla įvyko 1957 m. Dainava apima 226 akrų (91.5 ha) žemės plotą, kuriame yra ir 10 akrų (4 ha) dydžio ežerėlis, pramintas Spyglio vardu. Stovyklavietė apsupta ąžuolų ir pušų miškais. Kartais ji vadinama Mažąja Lietuva Amerikoje. Dainavoje gali vienu metu stovyklauti iki 210 asmenų.

Dainavoje stovyklauja ne tik jaunimas, bet ir kito amžiaus grupės. Per penkiasdešimt metų Dainava pateisino savo tikslą, formuojant išeivijos lietuvišką prieauglį. Daug buvusių šios stovyklos auklėtinių įsiliejo į savanoriškais pagrindais atliekamus lietuvių visuomenės darbus. Vasara stovyklaviete naudojasi ateitininkai, skautai, lituanistinių mokyklų mokytojai, tautinių šokių mokytojai, Lietuvių fronto bičiuliai. Dainavos direktorių taryba taip pat organizuoja „Heritage" (paveldo) vardo stovyklą, skirtą mažai arba visai lietuviškai nekalbantiems lietuvių kilmės vaikams. Rudenį ir žiemą vienu apšildomu stovyklos pastatu gali pasinaudoti įvairios lietuviškos ir nelietuviškos organizacijos.

*Lithuanian Camp Dainava, 15100 Austin Road, Manchester, Michigan 48158. Tel. 810-428-8919.*

## Neringa

Stovyklavietė įkurta 1969 metais. Ji priklauso Nekalto Prasidėjimo Švč. Mergelės Marijos seserų vienuolijai. Neringos stovykla, kaip ir seselės vienuolės, ugdo išeivijos jaunimo lietuviškumą, krikščioniškumą ir pozityvius charakterio bruožus. Vermont valstijos kalnuose vaikams ir šeimoms vyksta turiningos programos lietuvių bei anglų kalba. Stovyklose yra puoselėjamas lietuvių kultūros supratimas ir dvasinė branda. Per pastaruosius kelerius metus yra rengiamos meno stovyklos suaugusiems, kurios susilaukia daug dalyvių ir gražių įvertinimų.

Daugeliui lietuvių, ypač gyvenančių rytiniame JAV pakraštyje, Neringa yra tapusi antraisiais namais, ne tik vasarą, bet ir rudenį - paiškylauti, pabendrauti, o žiemą - prisiminti Kūčių bei Kalėdų papročius. Pavasaris visus suburia didžiajai talkai paruošti stovyklavietę vasaros stovyklavimui.

*Camp Neringa, 147 Neringa Road, Brattleboro, Vermont 05301. Tel. 802-254-9819.*

## Rakas

Stovyklavietė įkurta 1956 metais. Tai didžiausia lietuvių skautų stovyklavietė, kurioje gali tilpti iki 500 stovyklautojų. 1956 m. lietuvis vaistininkas Pranas Rakas jam priklausančią žemę padovanojo lietuviams skautams. Mecenatą pagerbiant, stovyklavietė pavadinta jo vardu. Laikui bėgant, skautai ir jų tėvai, daug paaukoto savo laisvo laiko ir milžiniškų pastangų dėka, įrengė stovylavietę, pastatydami įvarius pastatus. Dabar stovyklavietė priklauso Čikagos lietuvių skautų korporacijai „Geležinis vilkas".

Rake stovyklauja daugiausia Čikagos bei apylinkių skautai ir skautės, tačiau yra galimybė stovyklauti ir kitų valstijų skautams. Stovykla vedama skautiškos ideologijos principais ir taisyklėmis. Jaunimas mokomas lietuvių kalbos, lietuviškų dainų, vaidybos, auklėjamas būti ištikimas Lietuvai ir jos kultūrai. Stovyklautojai panaudoja skautų organizacijoje įgytas žinias, praktiškai atlikdami įvairias užduotis: vadovavimą, laužų kūrenimą, palapinių statymą, orientaciją miške ir kitus skautavimo gamtoje uždavinius.

*Rakas, 1918 Howley Road, Custer, MI 49405. Tel. 815-725-8494.*

## Rambynas

Los Angeles (CA) skautų „Rambyno" stovyklavietė įsteigta 1966 m. San Bernardino kalnuose, apie dviejų valandų kelio nuotoliu nuo Los Angeles miesto. Stovyklavietė nupirkta vietinių skautų šeimų aukomis. „Rambynas" yra Lietuvių skautų sąjungos nuosavybė, tvarkoma ir prižiūrima Ramiojo Vandenyno Rajono (RVR) vado paskirto stovyklavietės komiteto.

Kasmetinė skautų ir skaučių stovykla vyksta vasaros metu ir tęsiasi pusantros savaitės. Stovyklai vadovauja rajono vado paskirti asmenys, skautų ir skaučių tuntininkai arba įgaliotiniai. Skautų tikslas - ne vien puoselėti skautiškas tradicijas, bet atiduoti duoklę tėvynei, puoselėjant jos kalbą, papročius ir tautinį tęstinumą. Stovyklose kalbama tik lietuviškai, todėl ir silpnai kalbą mokantys ją greitai pramoksta. Vakarais prie laužo sesės ir broliai dainuoja ne tik skautiškas dainas, bet ir liaudies bei senas ir naujas patriotines dainas. Stovyklaujantis jaunimas susidraugauja, vėliau kai kurie sukuria lietuviškas šeimas. Jie tęsia lietuvybės išlaikymą, kas mūsų mažai tautai yra labai svarbu.

*Rambynas, San Bernardino, California. RVR vadas Vytenis Vilkas. Tel. 661-254-5593.*

# Youth Camps

*Romualdas Kriaučiūnas*

In the larger American-Lithuanian communities there are many active organizations, among which are two youth organizations: the scouts and the Catholic youth organization *"Ateitis."* These organizations, in an effort to provide additional opportunities to educate its youth and to provide for fellowship and camaraderie in outdoor setting, established youth camps. With the dedicated efforts of the youth leaders and counselors, funds were raised by the Lithuanian communities, suitable properties were purchased and youth camps were built. The Sisters of the Immaculate Conception of the Blessed Virgin Mary also established a youth camp in the mountains of Vermont. In all campsites, a Lithuanian atmosphere was created with the erection of cottages, wayside chapels, crosses and monuments with Lithuanian folkloric motifs. In America there are four such camps owned by Lithuanian organizations. Other Lithuanian camping activities are held at sites not owned by Lithuanian organizations. Among them are the camps belonging to the American Boy Scouts, the YMCA, and the public parks.

Youth camps are one of the most important means of fostering and maintaining the Lithuanian spirit and culture. The camps provide opportunities for young people to spend time together with other Lithuanians, to have the ethnic experience, and to study the basic Lithuanian values. The camps are very valuable, because they extend the educational experience obtained in Saturday schools. The life in the camp opens a new perspective for the campers – the life outdoors, the closeness to nature – which they don't have living in the cities. The youth are attracted to camping for a variety of reasons, such as self-development, study, creative expression, fellowship as well as rest and recreation. Four youth camps, owned by Lithuanian organizations, are presented here.

## Dainava

The campsite for Camp Dainava was purchased in 1955 by the Lithuanian Roman Catholic Federation. The first camping activity took place in 1957. Dainava comprises 226 acres (91.5 hectares). The area includes a ten acre (4 hectares) lake, named *"Spyglys."* The camp is surrounded by oak and pine forests. Sometimes the camp is referred to as the Little Lithuania in America. The camp's capacity is 210 beds.

Not only youth, but also other Lithuanian groups utilize Camp Dainava. For over fifty years Camp Dainava has justified its goal of helping to form and guide the Lithuanian youth. Many of its alumni have joined the ranks of community volunteers and leaders engaged in Lithuanian affairs. During the summer months the camp is used by groups of Lithuanian Catholic Association *"Ateitis,"* scouts, teachers of Lithuanian Saturday schools, folk-dance teachers, and others. Board of Directors of Dainava also sponsors a Heritage Camp, designed for children and youth of Lithuanian heritage who do not speak or are very limited in the use of Lithuanian language. During off season the main building of the camp is available to Lithuanian and other organizations.

*Lithuanian Camp Dainava, 15100 Austin Road, Manchester, Michigan, 48158. Tel. 810-428-8919*

## Neringa

The camp was established in 1969. It belongs to the Sisters of the Immaculate Conception of the Blessed

Virgin Mary Convent. Camp Neringa, together with the sisters, fosters Lithuanian and Christian values as well as positive character-building. Nestled in the mountains of Vermont, the camping activities include rich and meaningful experiences for children and families, conducted in Lithuanian and English languages. The spirit of understanding and continued development of the Lithuanian culture is fostered at the camp. During the last few years an art camp for adults has been favorably received and well attended.

For many Lithuanians, especially those residing on the Eastern Coast of the USA, Neringa has become their second home not only during the summer, but also for hiking and picnicking in the fall. In the winter, Christmas is celebrated with Lithuanian traditions including the rich customs of *Kūčios,* a Christmas Eve meal. Springtime gets everyone together for a communal effort to get the camp ready for summer camping.

*Camp Neringa, 147 Neringa Road, Brattleboro, Vermont 05301. Tel. 802-254-9819*

## Rakas

The camp was established in 1956. It is the largest Lithuanian Scout camp, capable of accommodating 500 campers. In 1956 a Lithuanian pharmacist Pranas Rakas donated his property to the Lithuanian scouts and the camp was named in his honor. In time, scouts and their parents invested much time and effort to build a number of buildings. The camp now belongs to a Lithuanian scout corporation *"Geležinis vilkas"* ("The Iron Wolf"). Camp Rakas is utilized by boy and girl scouts from the Chicago area. However, scouts from other regions of the United States may also participate. The camp is conducted following the scouting principles and rules. The participants are taught Lithuanian language, Lithuanian songs and staging of campfire programs. They are inspired to remain loyal to Lithuania and its culture. The scouts utilize the skills learned through scouting activities, and conduct the various exercises such as tending campfires, erecting tents, orienteering in the woods, and other outdoor activities.

*Rakas, 1918 Howley Road, Custer, Michigan 49405. Tel. 815-725-8494*

## Rambynas

Camp Rambynas, belonging to the Lithuanian scouts of the Los Angeles area, was established in 1966 in the mountains of San Bernardino about two hours drive from Los Angeles. The camp was purchased with the donations from families of local Lithuanian scouts. Rambynas, a property of Lithuanian Scouts Association, is managed and maintained by the Camp Committee of the Pacific Ocean Region. The annual camp for boys and girls is conducted during the summer and lasts for one and a half weeks. The goals of scouting are not only to maintain the scouting traditions, but also to contribute to the ethnic Lithuanian heritage by fostering its language, traditions and national continuity. The language at the camp is strictly Lithuanian so that even those whose Lithuanian language skills are weak can improve their vocabulary pretty fast. During campfire activities the scouts sing not only songs pertaining to scouting, but also folk songs as well as old and new patriotic songs. The camping youth become fast friends and some later marry forming Lithuanian families, thus extending the tradition of maintaining the Lithuanian spirit that is so important to a small nation.

*Rambynas, San Bernardino, California, RVR Chief Vytenis Vilkas. Tel. 661-254-5593*

Vėliavos pakėlimas Dainavos stovykloje.
Raising of the flag at Camp Dainava.

Dainavos stovyklos rytmečio maldos.
The morning prayers at Camp Dainava.

Rūpintojėlis.
The Pensive Christ.

*Lithuanian Camp "Dainava," 15100 Austin Road, Manchester, Michigan*

P. JANKUS

Lietuviškas koplytstulpis.
A Lithuanian wayside shrine.

P. JANKUS

Talentų pasirodymas stovykloje.
Talent show at the camp.

J. VAIČIŪNAS

Vakaro laužas Dainavos stovykloje.
The evening campfire at Camp Dainava.

*Lithuanian Camp "Dainava," 15100 Austin Road, Manchester, Michigan*

D. VAINAUSKIENĖ

Stovyklautoja mokosi verpti.
A camp girl is learning how to spin.

D. MACIKĖNAS

Mergaitės mokosi tautinių šokių.
Girls learn Lithuanian folk dances.

L. McPARTLAND

Stovyklautojos gaudo žuvytes.
Camp girls go fishing.

D. VAINAUSKIENĖ

Stovyklautojų eisena į šv. Mišias.
Campers in procession to Holy Mass.

*Camp Neringa, 147 Neringa Road, Brattleboro, Vermont*

D. MACIKĖNAS

Neringos stovyklautojai šoka lietuvių tautinius šokius, Nekaltai Pradėtosios švč. Mergelės Marijos seselių šeimos šventėje, Putnam, Connecticut.
Campers from Neringa dance Lithuanian folk dances at the family picnic at Sisters of Immaculate Conception of Mary convent in Putnam, CT.

D. KUPČINSKAITĖ

Stovyklos namelis.
Camping cabin.

L. MCPARTLAND

Lietuviškai papuoštas kryžius.
Lithuanian decorated cross.

L. MCPARTLAND

Neringos stovyklos koplytėlė.
Camp Neringa chapel.

*Camp Neringa, 147 Neringa Road, Brattleboro, Vermont*

V. LIETUVNINKAS

Skautai vyčiai ruošiasi žygiui.
The "Rover" Scouts preparing for a hike.

V. LIETUVNINKAS

Skautų pastatytas tiltas.
A bridge built by the Boy Scouts.

V. LIETUVNINKAS

Jūrų skautės duoda įžodį.
Girl Sea Scouts giving the Scout Oath.

*Lithuanian Scout Camp "Rakas," 1918 Hawley Road, Custer, Michigan*

LINAS POLIKAITIS

Ramiojo Vandenyno rajono Lietuvų skautų stovyklavietė „Rambynas".
Pacific Ocean Region, Lithuanian Scout campsite, "Rambynas."

REGINA POLIKAITIENĖ

Sesės skautės stovykloje.
Girl Scouts at the camp.

REGINA POLIKAITIENĖ

Vyresnieji skautai ir vadovai laisvalaikiu.
Senior Scouts and counselors during a break.

*Lithuanian Scout Camp "Rambynas," San Bernardino, California*

# NEKILNOJAMAS MENAS

# INSTALLED ART

# Nekilnojamas menas

*Algis Lukas*

Šiame skyriuje pristatome dailininkus, pasižymėjusius savo skulptūromis bei vitražais, sudarančiais architektūrinį arba nekilnojamą lietuvių meno paveldą Amerikoje.

**Albinas Elskus (1926-2007)** yra pripažintas vienu geriausių vitražistų Amerikoje. Gimė Lietuvoje, mokėsi Kauno Taikomosios dailės institute, karo metu pasitraukė į Vokietiją. Studijavo architektūrą Darmstadto aukštesniojoje technikos mokykloje, vėliau įstojo į dailininko V. K. Jonyno įsteigtą Taikomosios dailės mokyklą Freiburge. 1949 m. atvyko į Ameriką ir pradėjo dirbti vitražų studijose; dėstė meną Fordham universitete ir Parsons meno mokykloje. Jo darbai yra eksponuojami keliuose muziejuose ir galerijose Amerikoje bei Anglijoje. A. Elskus yra sukūręs per 100 darbų Amerikos bažnyčioms ir šventovėms. Jo stambiausias kūrinys yra galinio lango vitražas Dangaus Vartų kapinių mauzoliejuje, Hanover, New Jersey. Jis sukūrė Lietuvos Madonų atvaizdų mozaikas, puošiančias Šiluvos Marijos koplyčią Nekalto Prasidėjimo šventovėje, Vašingtone. Už savo kūrybą yra gavęs daug apdovanojimų, tarp kurių - 2000 m. Amerikos vitražistų sąjungos (Stained Glass Association of America, Lifetime Achievement Award) paskirtas apdovanojimas už viso jo gyvenimo meninius pasiekimus.

**Vytautas K. Jonynas (1907-1997)**, vienas iškiliausių lietuvių dailininkų, dirbo kaip knygų iliustratorius, grafikas, medžio raižytojas, vitražistas, skulptorius, bažnyčių ornamentikos ir įvairių tapybos formų menininkas. Jonynas meno studijas pradėjo Kaune, tęsė Paryžiuje (1931-1934) dekoratyvinės ir taikomosios dailės mokykloje (Conservatoire national des Artes et Metiers) bei meno ir amatų mokykloje (Ecole Boulle). 1937 m. pasaulinėje parodoje Paryžiuje Jonynui paskirti aukso medaliai už medžio raižinius ir plakatą. Lietuvoje Jonynas buvo pagerbtas valstybine premija už jo medžio raižiniais iliustruotą knygą (K. Donelaičio, „Metai"). Karo metu pasitraukęs į Vokietiją, 1947 metais Freiburge jis įsteigė Taikomoios dailės mokyklą (Ecole des Artes et Metiers), kurioje studijavo daug jaunų lietuvių menininkų, vėliau pagarsėjusių Amerikoje.

1951 m. atvykęs į Ameriką, Jonynas kūrė akvarelės ir grafikos darbus, vėliau pereidamas į bažnyčių dekoravimą, vitražus, skulptūras. Kartu su architektu Jonu Muloku jis išvystė lietuvišką architektūrinį ir meninį stilių, kurį pritaikė naujų bažnyčių vidaus įrengimams, vitražams ir bažnytiniam menui. Jo meninis įnašas ryškus Marijos Nekalto Prasidėjimo bažnyčioje, East St. Louis, Illinois; Švč. Mergelės Marijos Gimimo bažnyčioje, Čikagoje; Kristaus Atsimainymo bažnyčioje, Maspeth, New Yorke, ir daugelyje kitų. Jonynas sukūrė interjerus, vitražus, skulptūras, bareljefus ir dekoratyvinius įrengimus daugiau kaip šimtui bažnyčių bei šventovių; išpuošė Capella Lituani Šv. Petro bazilikoje, Romoje; dalyvavo meno parodose Lietuvoje, Vokietijoje, Prancūzijoj, JAV ir kituose kraštuose. Už savo kūrybą įvertintas aukštais Europos ir Amerikos apdovanojimais.

Žymiausi Jonyno darbai Amerikoje: Vatikano paviljono sienos bareljefas pasaulinėje parodoje New Yorke 1964-1965 m. (dabar atnaujintas ir perkeltas į pranciškonų vienuolyną Kennebunk, Maine) ir Notre Dame seselių vienuolių koplyčios vitražai Wilton, Connecticut, kurie pripažinti kaip vieni geriausių Amerikoje. Jonynas taip pat sukūrė sienų mozaikas Šiluvos Marijos koplyčiai Nekalto Prasidėjimo šventovėje, Vašingtone.

**Vytautas Kašuba (1915-1997)** pradėjo meno studijas Marijampolės Taikomosios dailės mokykloje ir tęsė Kauno Meno mokykloje. Pasaulinėje parodoje Paryžiuje 1937 m. už medžio kūrinius jis buvo apdovanotas aukso ir dviem sidabro medaliais, Lietuvoje 1942 m. laimėjo pirmą premiją už savo skulptūrą. Po karo atvykęs į Ameriką, Kašuba įsitvirtino religinio meno kūrybos baruose sukurdamas per 60 skulptūrų, bareljefų ir statulų, randamų daugelyje bažnyčių Amerikoje ir Kanadoje. Jo kūryba puošia pranciškonų vienuolyną Kennebunk, Maine; Notre Dame seserų vienuolyno koplyčią Wilton, Connecticut; Švč. Mergelės Marijos Gimimo bažnyčią Čikagoje. Vytauto Didžiojo skulptūra, sukurta 1939 m. New Yorko pasaulinei parodai, dabar yra Amerikos Lietuvių kultūros archyvo (ALKA) muziejuje, Putnam, Connecticut.

**Ramojus Mozoliauskas (1927- )** gimė Lietuvoje, karo metu pasitraukė į Vokietiją ir Freiburge baigė Taikomosios dailės mokyklos skulptūros skyrių. Atvykęs į Ameriką 1950 m., pradėjo dirbti paminklų dirbtuvėje. Mozoliauskas iš granito, metalo, stiklo pluošto ir betono sukūrė per 500 paminklų, iš kurių apie šimtas yra Šv. Kazimiero lietuvių kapinėse ir Lietuvių tautinėse kapinėse Čikagoje. Jo žymesni paminklai: Romui Kalantai atminti, šv. Kazimiero mirties 500 m. sukakčiai paminėti, buvusio Lietuvos prezidento dr. Kazio Griniaus antkapis, šv. Onos skulptūra. Jis yra sukūręs paminklus JAV Karo aviacijos, II pasaulinio karo žuvusiems prisminti Dayton, Ohio; žuvusiems gaisrininkams Hammond, Indiana; Čikagos apylinkių parkuose stovi jo sukurtos paukščių ir jaučio skulptūros. Mozoliauskas yra gavęs keletą apdovanojimų, tarp kurių - *The American Institute of Commemorative Art* premija.

**Adolfas Valeška (1905-1994)** studijavo dailę Kauno meno mokykloje, kurią baigęs 1928 m., įsteigė bažnytinio meno studiją. 1935 m. jis buvo Kauno kunigų seminarijoje įsteigto bažnytinio meno muziejaus direktorius. Vėliau paskirtas Vilniaus dailės muziejaus direktoriumi ir Vilniaus meno akademijos dėstytoju. Po karo Vokietijoje, Taikomosios dailės mokykloje, Freiburge, buvo tapybos studijų vedėjas. Atvyjęs į Ameriką, 1951 m., Čikagoje įsteigė dekoratyvinio meno studiją, kurios pagrindiniai darbai buvo vitražai, keramika, freskos ir marmuro kūriniai. Tarp keliolikos lietuvių ir kitų bažnyčių, kurias puošia A.Valeškos vitražai, ypatingo dėmesio verti jo darbai Čikagos sinagogoje „Radfei Zedek Temple" ir Šv. Filomenos bažnyčioje – jie buvo įtraukti į Čikagos apylinkės pavyzdinio religinio meno ir architektūros darbų sąrašą. Tarp lietuvių bažnyčių žymiausi jo darbai yra Šv. Kryžiaus bažnyčioje Čikagoje, vitražai Šv. Kryžiaus bažnyčioje Dayton, Ohio, ir vitražai Palaimintojo Jurgio Matulaičio lietuvių katalikų misijos koplyčioje Lemont, Illinois. Valeškos vitražai yra eksponuojami Čikagos *Smith Museum of Stained Glass.*

**Kazys Varnelis (1917- )** gimė Lietuvoje, 1941 m. baigė Kauno taikomosios dailės institutą, kur vėliau dėstė meną; paskirtas Kauno Bažnytinio meno muziejaus vedėju. 1943 m. tęsė meno studijas Vienos dailės akademijoje, Austrijoje. 1949 m. atvyko į Ameriką ir Čikagoje atidarė savo bažnytinės dailės studiją: kūrė bažnyčioms vitražus, mozaikas, altorius ir atliko kitus dekoratyvinius darbus. Jo žymesni darbai yra Marijos Nekalto Prasidėjimo seserų vienuolyno koplyčioje (Putnam, Connecticut), kurią puošia jo freskos ir langų vitražai, ir Dievo Motinos Nuolatinės Pagalbos bažnyčiai (Cleveland, Ohio) sukurti vitražai. K. Varnelio bažnytinis menas pasižymi moderniu stiliumi. Nuo 1963 m. Varnelis perėjo grynai į tapybą ir pagarsėjo abstarkčiais, kubistiniais bei monochronistiniais darbais. 1998 m. sugrįžo į Lietuvą, kur, parsivežęs iš viso pasaulio surinktus meno kūrinius, atidarė „Kazio Varnelio muziejų" Vilniuje.

**Vladas Vildžiūnas (1932- )** gimė Lietuvoje. 1958 m. baigė Vilniaus dailės institutą; nuo 1964 iki 1969 m. K.M. Čiurlionio meno mokyklos dėstytojas; 1988-1994 m. Vilniaus dailės akademijos Skulptūros katedros vedėjas; 1993 m. Vilniuje įkūrė meno centrą; nuo 1993 m. - jo vedėjas. Ankstyvajai Vildžiūno kūrybai būdingos liaudies skulptūros tradicijos, vėliau išryškėjo geometrinių formų, monumentalios skulptūros. Naudodamas medį, metalą ir akmenį, Lietuvoje sukūrė per 30 reikšmingų paminklų, antkapių ir monumentalinių dekoracijų. 1977 m., Los Angeles lietuvių pakviestas į JAV, jis čia sukūrė „Paukštė Deivė" skulptūrą, kuri apstrakčiomis paukščio pavidalo formomis vaizduoja gilios Lietuvos senovės deivę. Los Angeles universiteto (UCLA) Franklin Murphy skulptūrų sodas parinko „Paukštė Deivė" savo skulptūrų rinkiniui tarp kurių randame Lietuvoje gimusio Jacques Lipshitz bei Henri Matisse, Henry Moore, Joan Miro ir kitų žymiausių pasaulyje skulptorių kūrinių.

# Installed Art

*Algis Lukas*

In this section, we present several artists who distinguished themselves in stained glass and sculpture and contributed to the Lithuanian architectural or installed art legacy in America.

**Albinas Elskus (1926-2007)** is recognized as one of the most accomplished stained glass artists in America. He was born in Lithuania, studied at the Institute of Decorative Arts in Kaunas, and fled to Germany during the war. He studied architecture at the Darmstadt technical school and at the applied arts school (Ecole des Arts et Métiers), established by V.K. Jonynas in Freiburg. In 1949 he came to America, started work at stained glass studios, and taught art at Fordham University and at Parsons School of Design in New York City. His works are exhibited at several galleries and museums in America and Great Britain. A. Elskus created over 100 works for American churches and sanctuaries. His largest work is the stained glass window at the chapel of Gates of Dawn mausoleum in Hanover, NJ. He created the Lithuanian Madonnas in the chapel of Our Lady of Šiluva at the National Shrine of the Immaculate Conception in Washington, DC. For his work he received many awards including, in 2000, the Stained Glass Association of America, Lifetime Achievement Award.

**Vytautas K. Jonynas (1907-1997)**, one of the the best and most versatile Lithuanian artist, worked with book illustrations, graphic arts, wood carving, stained glass, sculpture, church décor and various painting media. Jonynas started his art studies in Kaunas, continued in Paris (1931-1934) at the applied arts schools (Conservatoire des Arts at Métiers and at Ecole Boulle). At the 1937 Worlds Fair in Paris he won two gold medals for wood engraving and a poster. In Lithuania he was honored with a national prize for his wood engraved illustrations for a book (K. Donelaičio, "Metai"). During the war he fled to Germany and in 1947 established an applied arts school (Ecole des Arts et Métiers) in Freiburg, where many young Lithuanian artists studied who later distinguished themselves in America.

After immigrating to America in 1951, initially Jonynas worked in water color and graphical arts and only later gravitated to church décor, stained glass and sculpture. Together with architect Jonas Mulokas he developed a Lithuanian art and architectural style which he adapted for decoration of church interiors and stained glass. His artistic contributions can be seen at the Immaculate Conception Church in East St. Louis, IL; Nativity of the Blessed Virgin Mary Church in Chicago; Church of the Transfiguration in Maspeth, NY, and other churches. Jonynas created interiors, stained glass, sculpture, bas-relief and art installations for more than 100 churches and sanctuaries; decorated the Capella Lituani in St. Peter Basilica, Rome; exhibited at art shows in Lithuania, Germany, France, United States, and other countries. For his art, he received high awards in Europe and America.

The most notable works by Jonynas in America are: The bas-relief wall decoration of the Vatican pavilion at the 1964-1965 Worlds Fair in New York (currently restored and moved to the Franciscan monastery in Kennebunkport, Maine) and the stained glass windows in the chapel of the School Sisters of Notre Dame in Wilton, Connecticut, which are regarded as one of the best in America. Jonynas also created the wall mosaics in the chapel of Our Lady of Šiluva at the National Shrine of the Immaculate Conception in Washington, DC.

**Vytautas Kašuba (1915-1997)** began his art studies at the applied arts school in Marijampolė, Lithuania, and continued at the Kaunas school of art. For his art work at the Paris World Fair in 1937, he was awarded gold and two silver medals for his work in wood. In 1942, in Lithuania, he won first prize for his sculptures. Arriving in America after the war, Kašuba established himself in religious art and created over 60 sculptures, bas-reliefs and statuettes which decorate many churches in America and Canada. His art is found in St. Anthony's chapel at the Franciscan monastery in Kennebunkport, Maine; School Sisters of Notre Dame chapel in Wilton, Connecticut; Nativity of the Blessed Virgin

Mary Church in Chicago; Vytautas The Great sculpture, created for the 1939 New York World Fair, now at the museum of the American Lithuanian Cultural Archives in Putnam, Connecticut.

**Ramojus Mozoliauskas (1927 - )** was born in Lithuania, during the war fled to Germany where he graduated from the Applied Arts School in Freiburg. After coming to America in 1950, he started work at a monument studio. Mozoliauskas, working in granite, metal, fiberglass, and concrete created over 500 monuments of which about 100 can be found in the St. Casimir Lithuanian cemetery and in the Lithuanian National Cemetery in south side Chicago. His more significant monuments are for Romas Kalanta (a Lithuanian who immolated himself during the Soviet occupation), St. Casimir on the 500 year anniversary of his death, Dr. Statsys Grinius, former president of Lithuania, and for St. Ann. Mozoliauskas was commissioned to create monuments for the World War II aviators in Dayton, Ohio; for firemen who lost their lives in Hammond, Indiana; and for Chicago suburban parks, sculptures of birds and a bison. Mozoliauskas has received several awards among which is a prize from the American Institute of Commemorative Art.

**Adolfas Valeška (1905-1994)** After graduating from Kaunas, Lithuania, art school in 1928, Valeška established a religious art studio. In 1935 he was appointed director of Kaunas seminary religious art museum. Later he was appointed director of Vilnius art museum and was an instructor at the Vilnius Academy of Art. After the war he was director of painting at the Applied Arts School in Freiburg. Upon arriving in America in 1951, he opened a decorative art studio in Chicago whose main areas of work were stained glass, ceramics, frescos, and marble sculptures. Among the several Lithuanian and other churches that are decorated by his stained glass windows, especially noteworthy are at "Radfei Zedek Temple" synagogue and at St. Philomena church in Chicago which are included in a list of outstanding art and architecture in the Chicago area. Among noteworthy examples of his work in Lithuanian churches are those in Holy Cross church in Chicago; stained glass at Holy Cross church in Dayton, Ohio; and the stained glass above the alter of the chapel of Blessed Jurgis Matulaitis in Lemont, Illinois. His stained glass is also exhibited at the Smith Museum of Stained Glass, at Navy Pier in Chicago.

**Kazys Varnelis (1917- )** was born in Lithuania, in 1941 graduated from Kaunas Applied Arts Institute where he later taught art and was appointed director of the religious art museum. In 1943 he continued his art studies at the Vienna Academy of Art in Austria. In 1949 he immigrated to America and opened a studio of religious art in Chicago where he created stained glass windows for churches, and designed mosaics, altars, and other decorative art. His more noteworthy works are at the convent chapel of the Sisters of the Immaculate Conception in Putnam, Connecticut and at Our Lady of Perpetual Help church in Cleveland, Ohio, where he designed frescos and stained glass windows. The religious art of K. Varnelis is noted for its modern style. From 1963 Varnelis switched totally to painting and became well known for his abstract, cubistic and monochromatic works. In 1988 he returned to Lithuania with his large collection of art from around the world and established the "Kazys Varnelis Museum" in Vilnius.

**Vladas Vildžiūnas (1932- )** was born in Lithuania. In 1958 he graduated from Vilnius Art Institute; from 1964 to 1969 was an instructor at K. M. Čiurlions Art School; from 1984 to 1994 Vilnius Academy of Art, head of sculpture faculty; in 1993 opened an art center. In his early works elements of ethnic traditions predominate; later he developed a style of geometric forms and monumental scale. Using wood, metal and stone, he created in Lithuania over 30 significant sculptures, headstones, and monumental objects of art. In 1977, he was invited by the Lithuanians of Los Angeles to America and while here, created the sculpture "Bird Goddess" which depicts in the form of a bird an ancient goddess of Lithuania. The Franklyn Murphy sculpture garden at UCLA selected the "Bird Goddess" for its sculpture collection among which we find sculptures of the Lithuanian born Jacques Lipchitz and also Henri Matisse, Henry Moore, Joan Miro and other world known sculptors.

Prisikėlęs Kristus, mozaika, Šv. Kryžiaus mauzoliejaus koplyčia. Dailininkas – Albinas Elskus, 2001 m.

The Risen Christ, mosaic, Holy Cross mausoleum chapel. Artist – Albinas Elskus, 2001.

*Holy Cross Cemetery, 340 Ridge Road, North Arlington, New Jersey*

Trys Marijos prie tuščio kapo, dažytas stiklas. Gerojo Ganytojo mauzoliejaus koplyčia. Albinas Elskus, 1985-1995.
Three Marys before the empty tomb, painted glass. The Good Shepherd mausoleum chapel. Albinas Elskus, 1985-1995.
*St. Gertrude Cemetery, 53 Inman Ave., Colonia, New Jersey*

„Dievo Motina", Dangaus Vartų mauzoliejaus koplyčioje ir „Apreiškimas", Dangaus Vartų mauzoliejuje. Albinas Elskus, 1991-97 m.
"Mother of God" at Gate of Heaven mausoleum chapel and "Annunciation" at Gate of Heaven mausoleum. Albinas Elskus 1991-97.
*Gate of Heaven Cemetery, 225 Ridgedale Ave., E. Hanover, New Jersey*

Notre Dame seserų vienuolyno koplyčios vidus.
Sisters of Notre Dame convent, chapel interior.

Šoninis vitražas, – Vytauts K. Jonynas.
Side window, – Vytautas K. Jonynas.

Vitražas, Juozupas ir Marija su kūdikiu Jėzumi, Notre Dame seserų vienuolyno koplyčioje. Dailininkas – Vytautas K. Jonynas, 1961-1962.
Stained glass, Joseph and Mary with baby Jesus, at the Sisters of Notre Dame chapel. Artist – Vytautas K. Jonynas, 1961-1962.

*School Sisters of Notre Dame, 345 Belden Hill Road, Wilton, Connecticut*

„Švč. Trejybė“, skulptūrinis bareljefas sukurtas Vatikano paviljonui, 1964 metų Pasaulinei parodai, New Yorke. Skulptorius – Vytautas K. Jonynas. Skulptūra dabar stovi Pranciškonų vienuolyne, Kennebunk, Maine.

"Holy Trinity," sculptural bas-relief designed for the Vatican pavilion at the 1964 World Fair in New York. Sculptor – Vytautas K. Jonynas. The sculpture now stands at the Franciscan monastery, Kennebunk, Maine.

*Franciscan Monastery, 26 Beach Avenue, Kennebunk, Maine*

Šv. Marija ir šv. Juozapas. Skulptorius – Vytautas Kašuba, 1962.
Holy Mary and St. Joseph. Sculptor – Vytatuas Kašuba, 1962.
*St. Augustine Church, 30 Caputo Road, North Branford, Connecticut*

Šiluvos Dievo Motina. Skulptorius – Vytautas Kašuba, 1954.
Our Lady of Šiluva. Sculptor – Vytautas Kašuba, 1954.
*Sisters of the Immaculate Conception convent, Putnam, CT*

Lietuvos didžiųjų kunigaikščių skydai, bareljefai. Skulptorius – Vytautas Kašuba.
Shields of Lithuanian grand dukes in bas-relief. Sculptor – Vytatus Kašuba.
*Lithuanian Museum of Art, Lithuanian World Center, Lemont, Illinois*

Lietuvos kunigaikštis Vaišvilkas – Vytautas Kašuba.
Lithuanian grand duke Vaišvilkas – Vytautas Kašuba.
*ALKA Museum, Putnam, Connecticut*

„Paukštė Deivė“ vaizduoja gilios Lietuvos senovės deivę. Skulptorius – Vladas Vildžiūnas, 1977 m.

“The Bird Goddess” represents, in the form of a bird, an ancient Lithuanian goddess. Sculptor – Vladas Vildžiūnas, 1977.

*Franklin Murphy Sculpture Garden, University of California Los Angeles (UCLA)*

R. MOZOLIAUSKAS

Paminklas žuvusiems karo metu – R. Mozoliauskas, 1987 m.
Monument to those who died during war – R. Mozoliauskas, 1987.
*Plainfield High School, Plainfield, Illinois*

J. GAST

Taikos Karalienė – Ramojus Mozoliauskas, 2007 m.
Queen of Peace – Ramojus Mozoliauskas, 2007.
*St. Joseph's Cemetery, Chicago, Illinois*

J. GAST

Bizonas, granitas – Ramojus Mozoliauskas, 2000 m.
Buffalo, granite – Ramojus Mozoliauskas, 2000.
*Grove Nature Park, Glenview, Illinois*

J. GAST

Paukščių skulptūros – Ramojus Mozoliauskas, 2002 m.
Bird sculptures – Ramojus Mozoliauskas, 2002.
*Emily Oaks Nature Center., Skokie, Illinois*

Paminklas mirusiems – Tikėjimo išpažinimas simboliškai, Prisikėlimo kapinėse. Skulptorius – Ramojus Mozoliauskas.
Monument to the dead – The Profession of Faith symbolically at the Resurrection cemetery. Sculptor – Ramojus Mozoliauskas.

Paminklas Lenkijos tūkstančio metų krikščionybei paminėti, Prisikėlimo kapinėse. Skulptorius – Ramojus Mozoliauskas, 1966 m.
Monument to commemorate one thousand years of Christianity in Poland. Sculptor – Ramojus Mozoliauskas, 1966.

*Resurrection Cemetery, 7200 Archer Avenue, Justice, Illinois*

Vitražas Šv. Filomenos bažnyčioje – Adolfas Valeška.
Stained glass window at St. Philomena Church – Adolfas Valeška.
*St. Philomena Church, 1921 N. Kedvale Ave., Chicago, Illinois*

Lietuviškų koplytstulpių vitražai Švento Kryžiaus bažnyčioje, Dayton, Ohio. Adolfas Valeška.
Lithuanian wayside shrine, stained glass windows at the Holy Cross Church, Dayton, Ohio, Adolfas Valeška.
*Holy Cross Lithuanian, RC Church, 1924 Leo Street, Dayton, Ohio*

Lietuvos stebuklingosios Marijos vitražuose: Kazokiškės, Pažaislis, Aušros Vartai. Dailininkas – Kazys Varnelis, 1955 m.
Lithuanian miraculous pictures of Mary in stained glass windows: Kazokiškės, Pažaislis, Gates of Dawn. Artist – Kazys Varnelis, 1955.
*St. Mary's Chapel, Sisters of Immaculate Conception Convent, 600 Liberty Highway, Putnam, Connecticut*

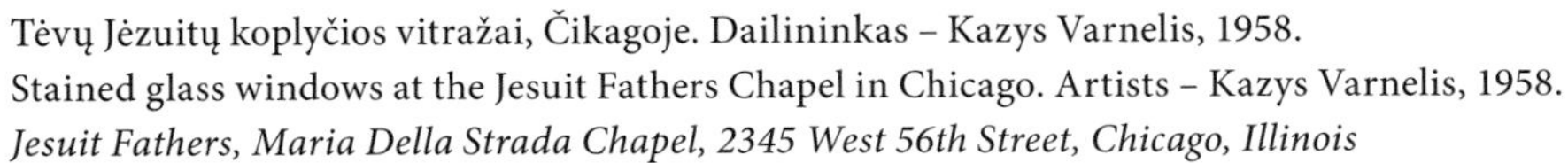

Tėvų Jėzuitų koplyčios vitražai, Čikagoje. Dailininkas – Kazys Varnelis, 1958.
Stained glass windows at the Jesuit Fathers Chapel in Chicago. Artists – Kazys Varnelis, 1958.
*Jesuit Fathers, Maria Della Strada Chapel, 2345 West 56th Street, Chicago, Illinois*

# PAMINKLAI IR KOPLYTSTULPIAI

# MONUMENTS AND WAYSIDE SHRINES

# Paminklai ir koplytstulpiai

*Milda B. Richardson*

Amerikos lietuviai pastatė paminklus, koplytstulpius ir kryžius skirtus paminėti didvyriškiems ir tragiškiems Lietuvos istorijos įvykiams, pagerbti Lietuvos didvyrius ir patriotus žuvusius už Lietuvos laisvę. Buvo statomi dviejų rūšių paminklai: skulptūriniai paminklai ir lietuviams būdingi koplytstulpiai.

## Paminklai

Cleveland, Ohio, miesto kultūriniame parke, tarp kitų 24 tautybių darželių, 1936 metais buvo atidaryti ir lietuvių kultūriniai darželiai. Terasomis apželdintame lietuvių skyriuje stovi kunigaikščio Gedimino stulpų sieninė skulptūra, primenanti senąją Lietuvos istoriją. Lietuvių tautos atgimimas XIX a. ir 1918 m. atgauta nepriklausomybė įamžinta poetų Vinco Kudirkos (1858-1899, Maironio (1862-1932) ir 1918 metų Lietuvos Nepriklausomybės paskelbimo akto pirmojo signataro Jono Basanavičiaus (1851-1927) bronziniais biustais.

Amerikos lietuviai lakūnai Steponas Darius (1896-1933) ir Stasys Girėnas (1893-1933) pagerbti už jų 1933 metais atliktą bandymą be sustojimo perskristi Atlantą iš New Yorko į Kauną. Jų lėktuvas „Lituanica" tragiškai nukrito ties Soldin, Vokietijoje (dabar Lenkijoje), visai netoli užsibrėžto tikslo. Amerikos lietuviai jiems pastatė paminklus Čikagoje, Marquette parke (prie Calfornia ir Marquette gatvių sankryžos), Brooklyn, New Yorke (prie Union ir South Third gatvių sankryžos) ir Lituanicos parke, Beverly Shores, Indiana.

Skulptorius Ramojus Mozoliauskas sukūrė daug paminklinių skulptūrų Čikagos apylinkėse. Jo Partizanų motinos skulptūra pastatyta Pasaulio lietuvių centro sodelyje Lemont, Illinois. Čikagos Šv. Kazimiero lietuvių kapinėse stovi įspūdingas paminklas Lietuvos globėjui šv. Kazimierui ir taip pat Romui Kalantai, kuris, protestuodamas prieš sovietų okupaciją, susidegino Kaune 1972 m.

## Koplytstulpiai

Ypač savita Amerikos lietuvių kultūros peizažo dalis yra koplytstulpiai. Šimtmečiais lietuviškas koplytstulpis buvo liaudies meno išraiška, kuri XX a. virto religinę ir etninę tapatybę išreiškiančiu simboliu. Koplytstulpiai buvo statomi pakelėse, kryžkelėse ir prie sodybų. Vietinių meistrų kuriami koplytstulpiai išsivystė iš jau XV a. statomų antkapinių stulpų. Devynioliktame amžiuje labiausiai paplitęs tipas buvo stulpas su stogeliu, kosmologiškai suprantamas kaip iš žemės kylantis į dangų. Nepaisant kiek besikeičiančios architektūrinės formos, pakelės koplytstulpiai visada turėjo dažytą krikščionišką apžadinę skulptūrėlę, tapusią lietuvių liaudies religinio meno dalimi.

Antrojo pasaulinio karo niokojimai, o po jų sovietų okupacijos metais (1944-1990) primestas ateizmas sutrukdė koplytstulpių statymą Lietuvoje. Atkūrus nepriklausomybę 1990 m., Lietuvoje vėl pradėti statyti koplytstulpiai ir kryžiai. Po II pasaulinio karo Amerikon atvykusios lietuvių diasporos menininkai paveldėtai koplytstulpių kultūros tradicijai pritaikė šiuolaikines medžiagas ir statybos technologijas. Pakelės koplytstulpių statymo tradicija buvo perkelta į privačias ir visuomenines erdves – parkus, šventorius, kapines, festivalių vietas, jaunimo stovyklas, vienuolynus ir kultūros centrus visose Jungtinėse Amerikos Valstijose. Šią tradiciją išsaugojo keturios Amerikos lietuvių kartos, kurios kūrybinės patirties semiasi iš praeities, tuo stiprindamos ir gaivindamos etninės tapatybės tęstinumą.

Koplytstulpiai Lietuvoje buvo gaminami iš ąžuolo ir kaltinės geležies. Amerikoje jų medžiagos ir dirbimo būdai labiau įvairuoja. Naudodamas elektrinius įrankius, tėvas Antanas Bukauskas (1916-2006) visoje Missouri valstijoje pastatė per trisdešimt monumentalių raudonojo kedro pakelės koplytstulpių. Jo lietuvių liaudies meno interpretacija, nuspalvinta pamaldumu, simbolizuoja Kristaus kančią ir pavergtą Lietuvą.

Algimantas Grintalis (g. 1937), taikomosios dailes menininkas, sukūrė per penkiasdešimt miniatiūrinių koplytstulpių kurias padovanojo Lietuvių muziejui Baltimorėje. Šalia Baltimorės lietuvių salės esančiame parkelyje, Grintalis pastatė tradicinių metalinių koplytstulpių triada: kryžius su spinduliuojančia saule, kurios spinduliai baigiasi iškaltomis tulpėmis, centre dviaukšte koplytėle ir kryžiumi su papuoštu gėlių motyvais. Pamatinėje dalyje iš spalvotų marmuro gabaliukų išdėstytas Lietuvos herbas - Vytis.

Jurgio Daugvilos (1923-2008) toteminiai pakelės koplytstulpiai perteikia XIX a. lietuvių medžio drožėjų tradicijos elementus. Jo įspūdingi drožiniai stovi medžių tankmėje Beverly Shores rajone, Indiana valstijoje. Ramiai tekančiose ir sūkuringose J. Daugvilos kompozicijų formose atsispindi baroko, art nouveau ir ekspresionistiniai elementai. Koplyčių figūros dažniausiai yra Rūpintojėlis ar Nukryžiuotasis Kristus. Be to, Daugvila Šv. Petro ir Povilo parapijos kapinėse Grand Rapids, Michigan, sukūrė paminklinį kryžių, skirtą Lietuvos krikščionybės 600 metų sukakčiai paminėti.

Avangardistinis Mindaugo Jankausko (g. 1928m.) 1978 m. Pranciškonų vienuolyne Brooklyn, New Yorke, pastatytas paminklas buvo skirtas Lietuvos laisvės kovotojams. Jį sudaro išraiškingas sutraukytos grandinės motyvas šalia sėdinčio Kristaus figūros. Kitoje pusėje yra Vargo mokyklos skulptūra, primenanti slaptą lietuviško rašto mokymą, kai dar 1864-1904 metais Rusijos caro valdžia buvo uždraudusi lietuvišką spaudą.

Servitų ordino Portland, Oregon, pušyno grotoje stovi architekto Jono Muloko (1907-1983) sukurtas 1962 m. triaukštis koplytstulpis, skirtas lietuviams Sibiro tremtiniams. Jis sukurtas būdingu J. Muloko architektūriniu stiliumi, kaip ir koplytstulpis priešais Jaunimo centrą Čikagoje bei didingi Kristaus Kančios keliai pranciškonų vienuolyne Kennenbunk, Maine.

1987 metais, švenčiant Lietuvos krikščionybės 600 metų sukaktį, buvo iškilmingai pašventintas, Simo Augaičio (1916-2008) sukurtas, kryžius prie Šv. Juozapo katedros, Hartford, Connecticut. Trisdešimties pėdų ( 9 metrų) indiško tikmedžio kryžius, pastatytas ant granitinio pjedestalo, ant kurio pavaizduotas Lietuvos Vytis; ant kryžiaus skersinių - krikščioniška prailgintos žuvies ikonografija, uždara tinklinė santvara iki vertikalaus spindulio ir atvira stilizuotų tulpių erdvė viršuje tarp kirvių. Koplytėlėje sėdi susimąstęs, kupinas skausmingo liūdesio Rūpintojėlis.

Amerikos lietuviai, prisimindami gimtojo krašto tradicijas, pakelės koplytstulpius dažnai stato ir savo sodybose. Jonas Knašas (g. 1948) prie savo namo Huston, Texas, pastatė koplytstulpį su aukštu valminiu stogu, dekoruotą kaltos geležies spinduliais. Be to, savo draugo motinos garbei jis sukūrė dviaukštę koplytėlę Cenacle globos namams Houston, Texas. Kūrinys papuoštas gyvatės formos spiralėmis ir Dievo pasiuntinius simbolizuojančiais paukščiais. Atbrailose kabo eilės mažų varpelių, saugančių nuo piktųjų dvasių.

1990 m. atkurtai Lietuvos nepriklausomybei pažymėti Lee Helser (g. 1931) savo namuose Issaquah, Washington, pastatė kedro koplytstulpį. Jame sujungta įprastinė žibinto pavidalo koplytėlės ir praėjusio šimtmečio septintajame dešimtmetyje Lietuvos meistrų atgaivintų pakelės skulptūrų tradicija.

Čia paminėta tik nedidelė dalis žmonių, kurių kūrybiškumas atsiskleidė laisvosios Amerikos visuomenėje. Šie menininkai prisidėjo prie kultūrinio Amerikos peizažo, didžiuodamiesi savo kilmės krašto kultūriniu paveldu ir kartu išreikšdami padėką už čia atrastą kūrybinę bei asmeninę laisvę.

2001 metais UNESCO paskelbė lietuvių kryždirbystę ir jų simboliką kaip nematerialaus kultūrinio paveldo šedevru.

# Monuments and Wayside Shrines

*Milda B. Richardson*

Lithuanians in America have erected monuments, wayside shrines, and crosses to commemorate heroic and tragic events in Lithuania's history, to honor Lithuanian heroes and patriots, and to mourn those who died defending Lithuania's freedom. Two types of commemorative markers are represented: conventional monuments and the more uniquely Lithuanian wayside shrines.

## Monuments

Sculptural monuments adorn important Lithuanian-American public spaces.

The Lithuanian Cultural Garden in Cleveland, Ohio, dedicated in 1936, is part of the Cleveland Cultural Gardens, with 24 separate gardens representing different nationalities. The terraced Lithuanian garden contains a wall sculpture of the Pillars of Duke Gediminas, evoking Lithuania's history. The rebirth of the Lithuanian nation in the nineteenth century and independence in 1918 are commemorated with bronze busts of national poets Vincas Kudirka (1858-1899), Jonas Mačiulis Maironis (1862-1932), and Dr. Jonas Basanavičius (1851-1927), the first signer of the 1918 Declaration of Independence.

Lithuanian-American aviators, Steponas Darius (1896-1933) and Stasys Girėnas (1893-1933), are honored for their 1933 attempt to fly non-stop from New York to Kaunas, Lithuania. Tragically they crashed near Soldin, Germany (now Poland), short of their destination. Lithuanian-Americans erected commemorative monuments to these heroic aviators in Chicago at Marquette Park (at the intersection of California Ave. and Marquette Rd.) and in Brooklyn, New York (at the intersection of Union Ave. and South Third St.).

Ramojus Mozoliauskas has created several memorial sculptures in the Chicago area. A monument dedicated to the "Mother of Freedom Fighters" *(Partizanų Motina)* stands at the Lithuanian World Center in Lemont, Illinois. At the Lithuanian St. Casimir Cemetery there is a monument dedicated to Saint Casimir, the Lithuanian patron saint, and another to Romas Kalanta, a Lithuanian martyr who immolated himself in Kaunas in 1972 to protest Soviet occupation.

## Wayside Shrines

A particularly distinctive manifestation of the Lithuanian-American cultural landscape is the wayside shrine. For centuries the Lithuanian wayside shrine has represented a form of folk art which became a sustaining symbol of religious and ethnic identity throughout the twentieth century. Created by local craftsmen, the wayside shrines evolved from grave markers erected as early as the fifteenth century. During the nineteenth century, the most popular type was the roofed pole, cosmologically emerging from the earth and rising skyward. Regardless of the architectural form, the wayside shrine always contained a free-standing painted sculpture of a Christian votive figure, thus becoming a part of the Lithuanian folk religious landscape.

The disruption of World War II and the subsequent imposition of atheism during the Soviet occupation (1944-1990) prevented the erection of wayside shrines in Lithuania. After independence in 1990, the creation of wayside shrines and crosses resumed. Lithuanian-American artists of the post-World War II diaspora radicalized the wayside shrine tradition to create a synthesis of an inherited cultural tradition and modern materials and building techniques. The tradition of building wayside shrines was transposed to private spaces and public venues, such as parks, church yards, cemeteries, festival grounds, youth camps, monasteries and cultural centers throughout the United States. The tradition has persevered for four generations of Lithuanian-Americans, whose creativity provides a connection with the past and a vehicle for ethnic retrenchment and revitalization in the New World.

Shrines in Lithuania were primarily of oak and wrought iron, while the materials and methods are more varied in the United States. Using power tools to speed up production, Father Antanas Bukauskas

(1916-2006) erected over thirty monumental red cedar wayside shrines throughout Missouri. His interpretation of Lithuanian folk art responded with piety to symbolize the passion of Christ and Lithuania as a captive nation.

Algimantas Grintalis (1937-), an industrial designer, contributed more than fifty miniature wayside shrines to the Lithuanian museum in Baltimore. In a park close to the Lithuanian Hall in Baltimore, Grintalis created a triad of metal shrines in traditional designs: a radiating sunburst with the ends of the rays hammered into tulips, a double-tiered shrine in the center, and a Latin cross decorated with floral motifs. In front there is a bed of colored marble chips fashioned into the Lithuanian coat of arms, "*Vytis.*"

Jurgis Daugvila's (1923-2008) totemic wayside shrines incorporate elements of the nineteenth-century Lithuanian woodcarver traditions. His imposing carvings stand among dense trees throughout the Beverly Shores area in Indiana. The free-flowing and whirling forms of his compositions reflect Baroque, Art Nouveau, and Expressionist elements. The chapel figures are predominantly the Contemplative or Crucified Christ. Additionally, Daugvila constructed a memorial cross in St. Peter and Paul parish cemetery in Grand Rapids, Michigan, to commemorate 600 years of Christianity in Lithuania.

The avant-garde design by Mindaugas Jankauskas (1928-) erected in 1978 at the Franciscan Friary in Brooklyn, New York, is dedicated to freedom fighters. The shrine contains powerful imagery of a broken chain mirrored by the contours of the seated Christ figure. The sculpture on the opposite side is of the School of Hardship (Vargo Mokykla), recalling the clandestine teaching of Lithuanian texts during the 1864-1904 prohibition of the Lithuanian press while under czarist rule.

In the fir tree grotto of the Servite mendicant order in Portland, Oregon, stands a triple-tiered shrine by the architect Jonas Mulokas (1907-83), erected in 1962 and dedicated to Lithuanians exiled to Siberia. It illustrates Mulokas's architectonic style; for instance, a shrine in front of the Lithuanian Youth Center in Chicago and the majestic Stations of the Cross at the Franciscan Friary in Kennebunkport, Maine.

In 1987, to celebrate the 600th anniversary of Christianity in Lithuania, a dramatic blessing of Simas Augaitis's (1916-2008) wayside cross took place at St. Joseph's Cathedral in Hartford, Connecticut. The 30-foot Indian teak cross, set on a granite pedestal and supported by a steel beam core, contains the Lithuanian coat of arms on the main beam, Christian iconography of elongated fish on the arms of the cross, closed lattice work up to the vertical beam, and an open pattern of stylized tulips in the space between the axes above. A Contemplative Christ with an expression of compassionate meditation sits in the chapel.

Lithuanian-Americans often would raise a wayside shrine in their garden, reflecting the tradition in the homeland. In addition to creating a tall hipped roof shrine topped with a wrought iron sunburst decoration for his front yard in Houston, Texas, Jonas Knašas (1948-) also carved a double-tiered shrine for the Cenacle Retreat House in Houston, in honor of a friend's mother. The artifact is decorated with snake spirals and birds as messengers of God; the cornices are hung with rows of tiny bells to ward off the evil spirits.

To celebrate Lithuanian independence in 1990, Lee Helser (1931- ) carved a cedar shrine for his home in Issaquah, Washington. It combines a traditional lantern-type chapel with the sculptural style adopted by craftsmen in Lithuania during the rebirth of the wayside tradition in the 1970s.

The projects mentioned here represent a small part of the work of people whose creativity and productivity thrived in the free society of their adopted country. These artists contributed to the cultural landscape of America with pride in their heritage and gratitude for their newfound liberty.

In 2001 UNESCO listed cross crafting and its symbolism in Lithuania among the world's Masterpieces of Intangible Heritage.

Paminklas lietuviams lakūnams Steponui Dariui ir Stasiui Girėnui. Architektas – V. Koncevičius. Statytas 1935 m.
Monument to Lithuanian flyers, Steponas Darius and Stasys Girėnas. Architect – V. Koncevičius. Erected in 1935

*Marquette Park, California Ave. and Marquette Rd., Chicago, Illinois*

Paminklas lietuviams lakūnams Steponui Dariui ir Stasiui Girėnui. Architektas Bruno Mankowski. New Yorko lietuvių bendruomenės statytas 1957 m.

Monument to the Lithuanian flyers, Steponas Darius and Stasys Girenas. Architect, Bruno Mankowsi, erected by New York Lithuanian community in 1957.

*Union Avenue, Stagg and South 3rd Streets, Brooklyn, New York*

Partizanų Motina.
Skulptorius – Ramojus Mozoliauskas, 1999.

Mother of the Freedom Fighters.
Sculptor – Ramojus Mozoliauskas, 1999.

*Lithuanian World Center, 14911 127th Street, Lemont, Illinois*

Paminklas
Romui Kalantai ir visiems žuvusiems už Lietuvos laisvę.
Skulptorius – Ramojus Mozoliauskas, 1979.

Monument to Romas Kalanta and all who died for Lituania‘s freedom.
Skulpotor – Ramojus Mozoliauskas, 1979.

*St. Casimir Cemetery, 4401 W. 111th St., Chicago, Illinois*

Lietuvių kultūriniai darželiai, įkurti 1936 metais; dalis Rockefeller kultūrinių sodų.
The Lithuanian Cultural Gardens, dedicated in 1936, as part of the Rockefeller cultural gardens.

Dr. Jonas Basanavičius, Lietuvos Nepriklausomybės akto signataras.
Dr. Jonas Basanavičius, signer of the Lithuanian Decleration of Independence.

Dr. Vincas Kudirka, Lietuvos himno autorius.
Dr. Vincas Kudirka, author of Lithuania's anthem.

Maironis (kun. Jonas Mačiulis), poetas.
Maironis (Rev. Jonas Mačiulis), poet.

*Lithuanian Gardens at the Rockefeller Cultural Gardens, Cleveland, Ohio*

Lietuviškas kryžius, pastatytas Hartford, katedros sodelyje. Pašventintas 1987 m. arkivyskupo John Whealon, 600 metų Lietuvos Krikščionybės sukakčiai paminėti. Dailininkas Simas Augaitis — meistras Juozas Ambrozaitis.

A Lithuanian Cross erected on the grounds of Hartford, Cathedral. Dedicated by Archbishiop John Whealon in 1987 to commemorate the 600th year anniversary of Christianity in Lithuania. Designer Simas Augaitis and craftsman Joseph Ambrozaitis.

*St. Joseph Cathedral, 140 Farmington Ave., Hartford, Connecticut*

Lietuviški koplytstulpiai, iš nerūdyjančio plieno. Dailininkas – Algimantas Grintalis.
Lithuanian wayside crosses, from non corroding steel. Artist – Algimantas Grintalis.
*Hollins & Parkin Streets, Baltimore, Maryland*

Koplytstulpis prie Šv. Kazimiero bažnyčios.
Wayside cross at St. Casimir Church.
*Philadelphia, Pennsylvania*

Lietuviškas kryžius prie Apreiškimo bažnyčios.
Lithuanian cross at Annunciation Church.
*Brooklyn, New York*

Kryžių kalnas, Pasaulio lietuvių centras.
Hill of crosses, Lithuanian World Center.
*Lemont, Illinois*

Koplytstulpis jezuitų Jaunimo centro sodelyje.
Wayside cross at the Jesuit Youth Center.
*Chicago, Illinois*

Koplytstulpis Ateitininkų namų sodelyje.
Wayside cross, at Lithuanian Catholic Foundation center.
*Lemont, Illinois*

Koplytstulpis lietuvių tremtiniams į Sibirą prisiminti.
Wayside cross for Lithuanians exiled to Siberia.
*Lithuanian National Cemetery, Justice, Illinois*

Kryžius 600 metų Lietuvos krikštui paminėti, dailininkas Jurgis Daugvila, Šv. Petro ir Povilo kapinės.
A cross to commemorate 600 years of Christianity in Lithuania, designed by Jurgis Daugvila.
*Sts. Peter and Paul cemetery, Grand Rapids, Michigan*

Lietuviški kryžiai Šv. Kryžaius bažnyčios sodelyje.
Lithuanian crosses, Holy Cross Church grounds.
*Dayton, Ohio*

Koplytstulpio detalė, Šv. Juozapo bažnyčia.
Detail of wayside cross, St. Joseph Church.
*Scranton, Pennsylvania*

Koplytstulpis Pranciškonų vienuolyne, architektas Jonas Muolokas.
Wayside shrine, Franciscan monastery, architect Jonas Mulokas.
*Kennebunk, Maine*

J. TAMULAITIS

Lietuviškas kryžius Ateitininkų sodelyje, dailininkas Poskočimas.
Cross at the Lithuanian Catholic Center, by artist Poskočimas.
*Lemont, Illinois*

Koplytstulpis Šv. Andriejaus bažnyčios kieme.
Wayside shrine, St. Andrews Church yard.
*New Britain, Connecticut*

Koplytstulpio detalė.
Detail of the wayside shrine.
*New Britain, Connecticut*

Architekto Jono Muloko sukurtas lietuviškas koplytstulpis Servitų groto sodelyje, Portland, OR.

A Lithuanian wayside shrine by architect Jonas Mulokas at the Servite Grotto, Portland, OR.

R. POCIUS

*The National Sanctuary of Our Sorrowful Mother, 8840 NE Skidmore Street, Portland, Oregon*

Lee Helser pastatytas koplystulpis.
Wayside shrine by Lee Helser.
*Issaquah, Washington*

Jono Knaso statytas, dvigubo stogelio koplytstulpis.
A double roofed shrine by John Knasas.
*Houston, Texas*

Kryžius seselių Kazimieriečių vienuolyne.
Cross at the St. Casimer convent.
*Chicago, Illinois*

Koplytstulpis Pasaulio lietuvių centre.
Wayside shrine at the Lithuanian World Center in Lemont, Illinois.

Bernardo Narušio statytas koplystulpis.
Wayside shrine by Bernardas Narušis.
*Cary, Illinois*

# KAPINĖS

# CEMETERIES

# Kapinės

*Milda B. Richardson ir Algis Lukas*

Amerikos lietuvių kapinės atspindi pusantro šimtmečio šioje šalyje gyvenimo istorinį ir kultūrinį palikimą. Kartu jos liudija istorinius, politinius bei ekonominius poslinkius Lietuvoje. Jungtinėse Amerikos Valstijose buvo palaidoti du Lietuvos prezidentai: Antanas Smetona - palaidotas Visų sielų (All Souls) kapinėse Chardon, Ohio, ir dr. Kazys Grinius - Lietuvių tautinėse kapinėse, Justice Illinois, prie Čikagos. Daugybė žymių lietuvių menininkų, rašytojų, dvasininkų, visuomenės veikėjų ir įvairių sričių specialistų rado savo amžinojo poilsio vietą Amerikos žemėje. Tačiau ne visose vietovėse, kur gyvena gausesni lietuvių telkiniai buvo įkurtos lietuviškos kapinės. Todėl ir kitose – daugiatautėse - kapinėse yra nemažai palaidotų mūsų tautiečių, kurių kapus puošia lietuviškais motyvais pasižymintys paminklai ar antkapiai.

Devynioliktame ir dvidešimtame šimtmetyje antkapiniai paminklai buvo ryškiausi lietuvių kultūros liudytojai. Būdingieji lietuviškų kapinių paminklai įamžina mirusiuosius, nurodo jų religiją, simbolizuoja tautinę kilmę ir išreiškia nenugalimą savo gimtojo krašto ilgesį.

Kaip ir kiti imigrantai, lietuviai troško būti laidojami tarp savųjų, pagal savo gimtosios šalies tradicijas. Anksčiausieji imigrantai, įsikūrę gyventojais gausiose rytinio Amerikos pakraščio valstijose, daug kur rado jau veikiančias, vyskupijų įkurtas, kapines, tad jiems teko savo mirusiuosius laidoti tose bendrose kapinėse. Daugybę lietuvių kapų, išsiskiriančių savo antkapiais, galima rasti visose rytinio Amerikos pakraščio daugiatautėse katalikų kapinėse. Tačiau Pennsylvanijos anglies kasyklų apylinkėse ir kituose Amerikos miestuose, kur susibūrė daugiau lietuvių, naujai steigiamos lietuvių parapijos kūrė ir savas kapines. Devynioliktojo amžiaus pabaigoje ir dvidešimtojo pradžioje tarp naujųjų imigrantų katalikų išsivystė ir vadinamasis „laisvamanių" judėjimas. Šitie lietuviai nenorėjo paklusti administraciniams ir religiniams Katalikų Bažnyčios reikalavimams ir pradėjo steigti savo tautines lietuvių kapines. Tokias kapines galima rasti Connecticut, Massachusetts ir Pennsyvania valstijose, bet tarp jų žymiausios yra Lietuvių tautinės kapinės Čikagos priemiestyje.

Būdingos lietuvių kapinės Amerikos šiaurės rytuose yra Waterbury, Connecticut. Jas 1902 m. įkūrė Lietuvių kapinių draugija. Kapinių paminklai čia atspindi įvairių pažiūrų ir skirtingų bangų imigrantus. Nors, pradedant 1880 metais ir vėliau, po Antrojo pasaulinio karo, dauguma imigrantų buvo katalikai, pasitaikydavo ir netikinčių. Apie dvidešimt katalikams paminklų sukūrė Simas Augaitis (1916-2008). Vyraujantis jo paminklų motyvas buvo koplytstulpis, apsuptas verkiančiomis tulpėmis, rūtos šakelėmis ar ąžuolo lapais, neretai įterpiant ir Lietuvos herbą – Vytį. Kitiems paminklams būdinga religinė ir politinė ikonografija. Kartais antkapio įrašas susietas su gimtuoju kraštu: „Toli nuo gimtųjų Lietuvos laukų"; tėvynės ilgesys vaizdžiai išreikštas verkiančiomis gėlėmis. Tėvynė minima vardu, poetiniu įrašu ar stilizuotais augalų motyvais. Pavyzdžiui, moteriškąją lytį simbolizuoja eglaitės, rūtos ar kiti amžinai žaliuojantys augalai, kurie supa koplytstulpį, primenantį mirusiosios gimtinę.

Pennsylvanijos anglies kasyklų apylinkėse lietuviai pradėjo kurtis XIX a. septinto dešimtmečio pabaigoje. Shenandoah miestelyje įsikūrė pirmoji lietuvių parapija ir lietuviai greitai plito po kitus anglies kasyklų miestus bei miestelius. Tarp dvidešimt trijų naujų lietuvių parapijų daug jų taip pat įsteigė ir savo kapines. Senųjų kapinių antkapiai nepasižymėjo ryškesniais tautiniais motyvais. Tai buvo daugiausia eiliniai antkapiniai paminklėliai, dažniausiai paženklinti kryžiumi, mirusiojo gimimo ir mirimo metais, gimimo vieta ir kokiu nors paprastu įrašu. Kai kuriuos puošė Kristaus, Marijos, šventųjų, angelų statulėlės ar raižiniai. Jų lietuviškumą daugeliu atvejų parodė tik mirusiojo vardas ir pavardė.

Vienos seniausių lietuvių imigrantų kapinių yra Joniškio (Jonischkies) kapinės De Vito apygardoje, Texas, kurias dar prieš Amerikos Pilietinį karą įkūrė liuteronai imigrantai iš Mažosios Lietuvos. Tarp maždaug keturiasdešimt kapų ankstyviausias paminklas pažymėtas 1864 metais. Vokiški paminklų įrašai liudija lietuvių kilmę iš Rytų Prūsijos.

Dvidešimtojo amžiaus pradžios lietuvių kapinių liekanas galima rasti tokioje nuošalioje, toli nuo didesnių lietuviškų telkinių, vietovėje, kaip Roslyn, Washington valstijoje, apie 60 mylių į rytus nuo Seattle. Lietuvių kapinaitės šioje vietovėje buvo įkurtos 1909 metais. Kapinėse yra atpažinta apie 80 lietuviškų antakapių. Šiuo metu kapinės atstatomos su vietinių lietuvių pagalba.

Dvidešimtojo amžiaus pradžioje West Frankfort, Illinois, buvo įsteigtos lietuvių kapinės, kurios šiuo metu dar turi apie 350 kapų su lietuviškom pavardėm. Čia antkapiai neišsiskiria jokiais tautiniais bruožais, tačiau daugelis antkapių įrašų yra lietuviški.

Po Antrojo pasaulinio karo, iš pabėgėlių stovyklų Vokietijoje į Ameriką atvykus naujoms lietuvių imigrantų bangoms, antkapiuose pradėjo atsirasti daugiau lietuviško liaudies meno ir simbolizmo apraiškų. Paminklų skulptoriai išlaiko svarbius ikonografijos elementus, tarp kurių ryškiausi - koplytstulpis, Rūpintojėlis, Aušros Vartų Marija (stebuklingas paveikslas, 1503-1522 metais įrengtas Vilniaus gynybinės sienos rytinių vartų koplyčioje), kartu su pagoniškais saulės ir augalų motyvais. Jie taip pat praplėtė antkapių puošmenas, panaudodami Lietuvos valstybės emblemas ir etnografinius elementus (pavyzdžiui, austas juostas arba jų raštus), kurie pažymi mirusiojo gimtąjį kraštą ir išsaugo tradicinę lietuvių simboliką Amerikoje.

Šventojo Kazimiero lietuvių katalikų kapines Čikagoje 1903 m. įkūrė kunigas Matas Kriaučiūnas, Švento Jurgio lietuvių katalikų bažnyčios klebonas, nupirkęs 40 akrų žemės sklypą pietinėje Čikagos dalyje. Per penkiasdešimt metų prie Šv. Jurgio prisijungė dar vienuolika kitų Čikagos lietuvių parapijų ir kapinių plotas buvo praplėstas iki 523 akrų (212 ha) žemės. Šiuo metu tai yra didžiausios lietuvių kapinės Amerikoje. Per ilgus dešimtmečius šios kapinės buvo daugelio lietuvių dvasininkų (jose turi savo atskirą vietą tėvai marijonai, seselės kazimierietės, tėvai jėzuitai) ir žymių Čikagos lietuvių visuomenės narių amžinojo poilsio vieta. Čia buvo palaidotas prelatas Mykolas Krupavičius, kurio palaikai neseniai perkelti į Lietuvą. Pažymėtina, kad seselių kazimieriečių sklype buvo palaidota jų kongregacijos steigėja Motina Marija (Kazimiera Kaupaitė), tačiau, prasidėjus jos beatifikacijos bylai, palaikai perkelti į Šv. Kazimiero vienuolyno motiniškojo namo koplyčią Čikagoje.

Senesnieji šių kapinių paminklai nedaug skiriasi nuo būdingų ano meto Amerikos antkapių. Tačiau naujesnieji jau pasižymi lietuvių tautiniais ir patriotiniais bruožais. Tarp didingų granito, smiltainio ar marmuro paminklų čia stovi žymių skulptorių, architektų ir kitų menininkų šiuolaikiniai kūriniai. Ypač daug antakapių yra sukūręs skulptorius Ramojus Mozoliauskas. Pasivaikščiojimas šiose kapinėse yra tarsi ekskursija po lietuvių kultūrinio bei dvasinio gyvenimo istoriją Čikagoje.

Lietuvių tautinės kapinės, nepriklausančios Katalikų Bažnyčiai, buvo įsteigtos 1911 metais pietiniame Čikagos priemiestyje (Archer ir Kean Ave. kampas). Keturiasdešimt akrų (16 ha) kapinėse yra daug įspūdingų XX amžiaus pradžios paminklų, skulptūrų ir asmeninių mauzoliejų. Meniškesni antkapiai, pastatyti po Antrojo pasaulinio karo atvykusių imigrantų, išsiskiria gausia tautine simbolika. Vienas ankstyviausių paminklų Lietuvių tautinėse kapinėse 1932 m. pastatytas ant Dėdės Šerno-Adomaičio, "Lietuvos" redaktoriaus ir daugelio knygų autoriaus, kapo. Reikšmingi paminklai buvo pastatyti: dr. Kaziui Griniui, buvusiam Lietuvos prezidentui (mirė 1950 m.; jo palaikai, Lietuvai atkūrus nepriklausomybę, pervežti į tėviškę Marijampolės rajone ir palaidoti Selemos Būdos kaime, Mondžgirėje); dr Jonui Šliūpui – Lietuvos tautinio atgimimo laikotarpio veikėjui ir spaudos darbuotojui, mirusiam Vokietijoje 1944 m. (urna su jo palaikais buvo atvežta į Ameriką ir palaidota Lietuvių tautinėse kapinėse), bei kitiems žymiems Amerikos lietuvių veikėjams. Nors Lietuvos himno autorius dr. Vincas Kudirka nėra Amerikoje gyvenęs, Lietuvių tautinėse kapinėse yra pastatytas jam pagerbti paminklas.

Lietuviškas nerūdijančio plieno koplytstulpis-paminklas buvo pastatytas trims šimtams tūkstančių lietuvių, sovietinės okupacijos metais iš tėvynės ištremtų į Sibirą.

Nedideles kapines dvasininkams ir tikintiesiems pasauliečiams 1962 metais įsteigė Nekaltai Pradėtosios Švenčiausios Mergelės Marijos seserys vienuolės Putnam, Connecticut. Jose stovi centrinis skulptoriaus A. Kulpos-Kulpavičiaus paminklas. Čia buvo palaidotas ir Lietuvos "Vilties prezidentas" Stasys Lozoraitis, jaunesnysis. Vėliau jo palaikai perkelti į Lietuvą ir palaidtoti Petrašiūnų kapinėse, Kaune. Seselių vienuolių įsteigtos kapinės vertos dėmesio dėl kuklių, bet meniškai išdailintų antkapių su lietuvių tautinėmis ir liaudies ikonografijomis.

# Cemeteries

*Milda B. Richardson and Algis Lukas*

Lithuanian-American cemeteries represent historical and cultural imprints of a century and a half of Lithuanian life in America. They also reflect the historical, political, and economical upheavals in Lithuania. America is the burial site of two Lithuanian presidents: Antanas Smetona at All Souls Cemetery in Chardon, Ohio, and Dr. Kazys Grinius at the Lithuanian National Cemetery, in Justice, Illinois, near Chicago (his remains have been reinterred in Lithuania). Many eminent Lithuanian artists, clergy, community leaders and professionals have found their final resting place in America.

Grave markers have been an enduring feature of Lithuanian material culture in the United States throughout the 19th and 20th century. The unique monuments found in Lithuanian cemeteries memorialize the deceased, show religious reference, symbolize ethnic identity and express the unrealized nostalgia for the homeland.

Like other immigrants, Lithuanians desired to be buried among their compatriots and in a manner which preserved the traditions of their homeland. Immigrants who settled in the more urbanized areas found cemeteries already established by the local archdioceses and, therefore, their new parishes did not have the need to acquire specifically ethnic cemeteries. Many Lithuanian gravesites, distinctive in their markings, may be found in the Catholic and multi-ethnic cemeteries throughout the mid-Atlantic and New England states. However, in the coal mining regions of Pennsylvania and other more rural states, the new Lithuanian parishes established their own cemeteries. At the end of the 19th and the beginning of the 20th century a movement of "free thinkers" evolved among some new immigrants. This group did not want to be subjected to the administrative and religious restrictions of the Catholic Church, and subsequently established independent Lithuanian National cemeteries. Such cemeteries can be found in Connecticut, Massachusetts, Pennsylvania, and most notably, the Lithuanian National Cemetery in Chicago, Illinois.

Typical of the Lithuanian cemeteries in New England is the one founded in 1902 by the Lithuanian Cemetery Association in Waterbury, Connecticut. The grave markers reflect immigrants who held a variety of world views and represent different immigration waves. While the majority of immigrants to Connecticut beginning in the 1880s and later after World War II were Roman Catholic, some were socialists or atheists. In the Waterbury cemetery over twenty monuments were designed for Catholics by Simas Augaitis (1916-2008). As their dominant motifs his monuments have the wayside shrine surrounded by weeping tulips, sprigs of rue or oak leaves and often display "*Vytis,*" the Lithuanian coat of arms. Other monuments in the cemetery incorporate religious and political iconography. Sometimes the epitaph makes specific reference to the homeland, identified by name, poetic texts or stylized plant motifs. For example, the female gender is represented by fir trees and evergreen groves surrounding the wayside shrine, evoking the landscape of the deceased's birthplace.

Lithuanian settlements in the Pennsylvania coal mining territory began in the late 1860s in Shenandoah and quickly spread to other cities and towns in the anthracite coal region. Many of the twenty-three new Lithuanian parishes in the region established their own cemeteries. In the older cemeteries, the grave markers did not distinguish themselves with discernible ethnic decorations: mostly they were simple tombstones, usually marked with a cross, the person's dates of birth and death, place of birth, and a simple epitaph. Their Lithuanian origins, in many cases, can only be discerned from the name of the deceased.

One of the earliest cemeteries for Lithuanian immigrants is the Jonischkies Cemetery in DeWitt County, Texas, established by Lutheran immigrants from Lithuania Minor, who arrived in Texas prior to the Civil War. Among the approximately forty interments, the earliest tombstone dates to 1864. Markings on the tombstones are written in German, reflecting the Lithuanian-Prussian origin of these immigrants.

Traces of early twentieth-century Lithuanian cemeteries can be found in such remote places as Roslyn, Washington, about 60 miles east of Seattle. Among other cemeteries in the area, a small Lithuanian cemetery was established in 1909, with about 80 identified gravesites. The cemetery is being restored by local volunteers.

In the early 20th century a cemetery with about 350 gravesites was established in West Frankfort, southern Illinois, by a Lithuanian coal mining community. These monuments do not exhibit any distinctive ethnic features, although many of the epitaphs are in the Lithuanian language.

After World War II, with the new waves of immigration from Lithuania, gravestones began to exhibit more traditional and symbolic Lithuanian images and decorations. The sculptors and designers preserved significant elements of traditional iconography: the wayside shrine, the figure of the Contemplative Christ and the Madonna of the Gate of Dawn (a miraculous icon in a chapel at the east gate in the defensive wall around Vilnius built in 1503-1522), together with pagan motifs of the sun and indigenous plant life. They also expanded the imagery to include emblems of the Lithuanian state and ethnographic artifacts, such as woven sashes, to memorialize the land of their birth and to serve as a repository of traditional Lithuanian symbols in America.

St. Casimir Lithuanian Catholic Cemetery in Chicago was established in 1903 by Rev. Matas Kriaučiūnas, pastor of St. George Lithuanian Catholic church, through the purchase of a forty-acre tract of land on Chicago's south side. Over the next 50 years, eleven other Chicago Lithuanian parishes joined in expanding the cemetery to 523 acres (212 hectares), making it the largest Lithuanian cemetery in America. Over the years, the cemetery has been the final resting place for many of the Lithuanian clergy and distinguished members of the Chicago Lithuanian community.

The older monuments in the cemetery are more typical of the standards accepted at that time in the United States. However, the newer monuments have observable Lithuanian ethnic and patriotic characteristics. Among the majestic gravestones of granite, sandstone or marble stand modernist works by eminent sculptors, architects and artists. A particularly prolific designer of the monuments is Ramojus Mozoliauskas. A walk in the cemetery is an excursion into the history of Lithuanian cultural and spiritual life in Chicago.

The Lithuanian National Cemetery in the southern suburbs of Chicago was chartered in 1911 as a cemetery independent of the Catholic Church. The forty-acre (16 hectares) cemetery contains many impressive monuments, statues and private mausoleums from the early part of the 20th century. Monuments erected by the the post-World War II sculptors offer more artistic examples of ethnic ornamentation and symbolism. Significant monuments were erected for Dr. Kazys Grinius, Lithuania's president, Dr. Jonas Šliūpas, a national activist and publisher in the United States, Dr. Vincas Kudirka, the composer of the Lithuanian national anthem (although he never lived in the USA and died in Lithuania), as well as monuments for other important Lithuanian-American patriots. A Lithuanian wayside shrine from noncorrosive steel was erected as a memorial to the 300,000 Lithuanians deported to Siberia during the Soviet occupation of Lithuania.

A small cemetery was established in 1962 by the Sisters of Immaculate Conception of the Blessed Virgin Mary in Putnam, Connecticut, for the burial of deceased clergy as well as members of the lay congregation. The cemetery is noteworthy for modest, but well-decorated, grave markers with Lithuanian national and folk iconography.

Paminklas šv. Kazimierui, 500 metų nuo jo mirties paminėti, skulptorius Ramojus Mozoliauskas, 1984.

Monument to St. Casimir, commemorating 500 years from his death, sculptor Ramojus Mozoliauskas, 1984.

*St. Casimir Lithuanian Cemetery, 4401 W 111th Street., Chicago, Illinois*

Šv. Kazimiero kapinės Čikagoje, antkapiai pastatyti po 1950 metų, bendras vaizdas.
St. Casimir cemetery in Chicago, gravesite monuments built after 1950, general view.

Antkapiniai paminklai Šv. Kazimiero kapinėse skulptoriaus R. Mozoliausko (kairėje ir dešinėje) ir A. Kurausko (viduryje).
Graveside monuments at the St. Casimir cemetery by sculptor R. Mozoliauskas (left and right) and A. Kurauskas (center).

*St. Casimir Lithuanian Cemetery, 4401 W. 111th Street, Chicago, Illinois*

Paminklas lietuviams kunigams prisiminti. Skulptorius – R. Mozoliauskas.
Monument in memory of Lithuanian priests. Sculptor – R. Mozoliauskas.

Antkapinis paminklas Raštikiui.
R. Mozoliauskas.

Gravesite monument to Raštikis.
R. Mozoliauskas.

Paminklas prelatui Mykolui Krupavičiui. Architektas – Rimas Mulokas.
Monument to Mons. Mykolas Krupavičius. Architect – Rimas Mulokas.

Paminklas lietuviams jėzuitams. Skulptorius – R. Mozoliauskas.
Monument to Lithuanian Jesuits. Sculptor – R. Mozoliauskas.

*St. Casimir Lithuanian Cemetery, 4401 W. 111 th Street, Chicago, Illinois*

Čikagos Lietuvių Tautinių kapinių administracijos pastatas.
The adminstration building of Lithuanian National Cemetery in Chicago.

Paminklas Lietuvos poetui dr. Vincui Kudirkai.

Monument to Lithuanian poet, Dr. Vincas Kudirka.

Paminklai, Lietuvos prezidentui dr. Kaziui Griniui ir Amerikos lietuvių veikėjui Juozui Bačiūnui. Skulptorius – R. Mozoliauskas.
Monuments to Lithuanian president, Dr. Kazys Grinius and to American-Lithuanian leader, Juozas Bachunas. Sculptor – R. Mozoliauskas.

*Lithuanian National Cemetery, Kean Avenue, Justice, Illinois*

Lietuvių Tautinės kapinės Čikagos priemiestyje. Antkapiai pastatyti po 1950 metų, bendras vaizdas.
Lithuanian National Cemetery in the suburbs of Chicago. Gravsite monuments built after 1950, general view.

Antkapiniai paminklai Lietuvių Tautinėse kapinėse Čikagos priemiestyje. Skulptorius – Ramojus Mozoliauskas.
Gravesite monuments at the Lithuanian National Cemetery in the suburbs of Chicago. Sculptor – Ramojus Mozoliauskas.

*Lithuanian National Cemetery, Kean Avenue, Justice, Illinois*

Visų sielų kapinės netoli Clevelando, Ohio.
All Souls Cemetery near Cleveland, Ohio.

Lietuvos prezidento Antano Smetonos ir jo žmonos Sofijos laidojimo kriptos.
The burial crypts of Lithuanian president Antanas Smetona and his wife, Sofija.

Mauzoliejus, Visų sielų kapinėse netoli Clevelando, kuriame yra palaidotas pirmasis Lietuvos prezidentas, Antanas Smetona.
Mausoleum, at the All Souls Cemetery near Clevelend, where the first president of Lithuania, Antanas Smetona, is buried.

*All Souls Cemetery, 10366 Chardon Road, Chardon, Ohio*

Nekaltai Pradėtosios Šv. Mergelės Marijos vienuolyno lietuvių kapinės. Architekto A. Kulpos-Kulpavičiaus paminklas su kryžium.
Lithuanian cemetery at the Sisters of the Immaculate Conception convent. The monument with cross by architect A. Kulpa-Kulpavičius.

Lietuvių kunigų antakapiai.
Grave markers for Lithuanian priests.

Kunigo Stasio Ylos antakapis.
Grave marker for Rev. Stasys Yla.

*Lithuanian cemetery at the Sisters of the Immaculate Conception convent, 600 Liberty Highway, Putnam, Connecticut*

Janulio kapas: gimė 1855 m., mirė 1919 m.
Janulis grave: born 1855, died 1919.

Šv. Kazimiero parapijos lietuvių kapinės Amsterdame, New York, bendras vaizdas.
St, Casimir parish Lithuanian Cemetery, Amsterdam, New York, general view.

Šv. Onos koplytėlė Šv. Kazimiero kapinėse, Amsterdam, NY. Koplytėlės projektas ir visas menas dailininko Vytauto K. Jonyno.
St. Ann's Chapel at St. Casimir cemetery, Amsterdam, NY. Design of the chapel and all artwork by artist Vytautas K. Jonynas.

*St. Casimir Cemetery, Cemetery Road and Park Drive, Amsterdam, New York*

Lietuvių Tautinės kapinės įkurtos 1917 metais.
Lithuanian National Cemetery, founded in 1917.
*Lawrence, Massachusetts*

Vienas senesnių antkapių.
One of the older gravesite monuments.
*Lawrence, Massachusetts*

Šv. Petro ir Povilo parapijos kapinės, įsteigtos 1915 metais. Vaizdelis su senais antkapiais. Tolumoj – lietuviškai papuoštas kryžius.
Sts. Peter and Paul parish cemetery, dedicated in 1915. A view with old tombstones. In the distance – a Lithuanian decorated cross.
*Sts. Peter and Paul Cemetery, 1750 Preston Ave., Grand Rapids, Michigan*

„Suvienytas Draugijų Laisvas Kapinynas Lietuvių," Waterbury, Connecticut, įsteigtas 1902 metais. Antkapiniai paminklai.
"Lithuanian Cemetery Association," Waterbury, Connecticut, founded in 1902. Gravesite monuments.

Antkapiniai paminklai su lietuviškais papuošimais ir simboliais, Waterburio Lietuvių kapinėse.
Lithuaninian decorations and symbols on the gravesite monuments at the Lithuanian cemetery in Waterbury.

*Lithuanian Cemetery Association, 102 Plank Road, Waterbury, Connecticut.*

Šv. Pranciškaus parapijos lietuvių kapinės.
St. Francis parish, Lithuanain Cemetery.
*Minersville, Pennsylvania*

Šv. Kazimiero kapinės.
St. Casimir Cemetery.
*Pittsburgh, Pennsylvania*

Kun. Sutkaičio kapas Šv. Kazimiero kapinėse.
Gravesite of Rev. Sutkaitis, St. Casimir cemetery.
*Pittsburgh, Pennsylvania*

Šv. Juozapo parapijos lietuvių kapinės.
St. Joseph's parish Lithuanian cemetery.
*Scranton, Pennsylvania*

# RODYKLĖS IR LITERATŪROS ŠALTINIAI

# INDEX AND REFERENCES

# Rodyklės

## ■ OBJEKTAI:


Amerikos Lietuvių klubas, St. Petersburg, FL — 65

Amerikos Lietuvių kultūros archyvas, Putnam, CT — 64, 81

Ateitininkų namai, Lemont, IL — 63, 74, 191, 193

Balzeko Lietuvių kultūros muziejus, Chicago, IL — 62, 76

Dainava, jaunimo stovykla, Manchester, MI — 152, 156, 157

Dariaus ir Girėno paminklas, Brooklyn, NY — 185

Dariaus ir Girėno paminklas, Chicago, IL — 184

Dievo Apvaizdos bažnyčia, Southfield, MI — 128

Dievo Apvaizdos parapijos Kultūros centras, Southfield, MI — 65

Dievo Motinos Nuolatinės Pagalbos bažnyčia, Cleveland, OH — 116

Dievo Motinos Nuolatinės Pagalbos parapijos Lietuvių centras, Cleveland, OH — 63

Jaunimo centras, Chicago, IL — 63, 77

Jėzaus draugija - jėzuitai, Chicago, IL — 134, 148, 191

Lietuvių dailės muziejus, Lemont, IL — 73

Lietuvių kambarys, Pittsburgh universitete, Pittsburgh, PA — 80

Lietuvių kapinės, Waterbury, CT — 212

Lietuvių kultūriniai darželiai, Cleveland, OH — 188

Lietuvių muzikos salė, Philadelphia, PA — 64, 79

Lietuvių namai, Baltimore, MD — 62, 78

Lietuvių piliečių klubas, Boston, MA — 62, 79

Lietuvių salė, Pittsburgh, PA - 64, 79

Lietuvių tautinės kapinės, Justice, IL — 191, 206, 207

Lietuvių tautinės kapinės, Lawrence, MA — 211

Lietuvos ambasada JAV, Washington, DC — 56

Marianapolis, aukštesnioji mokykla, Thompson, CT — 145

Marijos aukštesnioji mokykla, Chicago, IL — 139

Matulaičio slaugos namai, Putnam, CT — 143

Mažųjų brolių, pranciškonų vienuolynas, Kennebunk, ME — 133, 146, 193

Nekaltai Pradėtosios Švč. Mergelės Marijos seserų kapinės, Putnam, CT — 209

Nekaltai Pradėtosios Švč. Mergelės Marijos Vargdienių seserų vienuolynas, Putnam, CT — 133, 142

Neringa, jaunimo stovykla, Brattleboro, VT — 153, 158, 159

Nukryžiuotojo Jėzaus seserų ir Sopulingos Marijos vienuolynas, Brockton, MA — 133, 141

Palaiminto Jurgio Matulaičio bažnyčia, Lemont, IL — 75

Pasaulio lietuvių centras, Lemont, IL — 63, 74, 186, 191

Rakas, jaunimo stovykla, Custer, MI — 153, 160

Rambynas, jaunimo stovykla, San Bernardino, CA — 153, 161

Šiluvos Marijos bažnyčia, Maizeville, IL — 127

Šiluvos Marijos koplyčia, Washington, DC — 124

Šv. Alfonso bažnyčia, Baltimore, MD — 88, 89

Šv. Andriejaus bažnyčia, New Britain, CT — 90, 193

Šv. Andriejaus bažnyčia, Philadelphia, PA — 91

Šv. Antano bažnyčia, Cicero, IL — 92

Šv. Juozapo bažnyčia, Mahanoy City, PA — 94

Šv. Juozapo bažnyčia, Scranton, PA — 97, 192

Šv. Juozapo bažnyčia, Waterbury, CT — 96

Šv. Juozapo kapinės, Scranton, PA — 213

Šv. Jurgio bažnyčia, Shenandoah, PA — 95

Šv. Kazimiero bažnyčia, Los Angeles, CA — 114

Šv. Kazimiero bažnyčia, Philadelphia, PA — 190

Šv. Kazimiero bažnyčia, Providence, RI — 98

Šv. Kazimiero bažnyčia, Worcester, MA — 99

Šv. Kazimiero kapinės, Amsterdam, NY — 210

Šv. Kazimiero kapinės, Chicago, IL — 187, 203, 204, 205

Šv. Kazimiero kapinės, Pittsburgh, PA — 213

Šv. Kazimiero parapijos Kultūros centras, Los Angeles, CA — 64

Šv. Kazimiero seserų vienuolynas, Chicago, IL — 132, 138

Šv. Kryžiaus bažnyčia, Chicago, IL — 100

Šv. Kryžiaus bažnyčia, Dayton, OH — 126, 192

Šv. Kryžiaus ligoninė, Chicago, IL — 139

Šv. Petro bažnyčia, Boston, MA — 102

Šv. Petro ir Povilo bažnyčia, Elizabeth, NJ — 103

Šv. Petro ir Povilo bažnyčia, Grand Rapids, MI — 104

Šv. Petro ir Povilo kapinės, Grand Rapids, MI — 192, 211

Šv. Pranciškaus Dievo Apvaizdos seserų vienuolynas, Pittsburgh, PA — 132, 140

Šv. Pranciškaus parapijos kapinės, Minersville, PA — 213

Švč. Mergelės Gimimo bažnyčia, Chicago, IL — 118

Švč. Mergelės Marijos Apreiškimo bažnyčia, Brooklyn, NY — 93

Švč. Mergelės Marijos Nekaltojo Prasidėjimo bažnyčia, Chicago, IL — 122

Švč. Mergelės Marijos Nekaltojo Prasidėjimo bažnyčia, East St. Louis, IL — 115

Švč. Mergelės Marijos Nekaltojo Prasidėjimo kunigų marijonų vienuolija, Chicago, IL — 133, 144

Šventos Trejybės bažnyčia, Hartford, CT — 105

Šventos Trejybės bažnyčia, Wilkes-Barre, PA — 106

Viešpaties Jėzaus Atsimainymo bažnyčia, Maspeth, NY — 120

Visų Sielų kapinės, Chardon, OH — 208

## ■ ARCHITEKTAI IR DAILININKAI:

Aleksa, Petras — 149

Ambrozaitis, Joseph — 189

Augaitis, Simas — 189, 212

Daugvila, Jurgis — 129, 192

Elskus, Albinas — 124, 164, 168, 169

Grintalis, Algimantas — 190

Helser, Lee — 195

Jonynas, Vytautas K. — 99, 115, 119, 120, 121, 124, 125, 127, 128, 129, 143, 146, 164, 170, 171, 210

Kašuba, Vytautas — 14, 125, 143, 164, 172

Kersnauskas, Eduardas — 116

Knasas, John — 195

Koncevičius, V. — 184

Kova-Kovalskis, Jonas — 111, 144, 148

Krikščiukaitis, Kazys — 111

Kudokas, Stasys — 111, 116

Kulpa-Kulpavičius, Alfonsas — 111, 128, 209

Kurauskas, Algirdas — 204

Marčiulionienė, Eleonora — 73, 149

Marčiulionis, Aleksandras — 120

Mercedes, sesuo Marija — 119

Mozoliauskas, Ramojus — 116, 117, 165, 174, 175, 186, 187, 203, 204, 205, 206, 207

Mulokas, Jonas — 77, 110, 115, 118, 120, 126, 146, 194

Mulokas, Rimas — 77, 205

Narušis, Bernardas — 195

Poskočimas — 193

Valeška, Adolfas — 75, 126, 165, 176

Varnelis, Kazys — 142, 149, 165, 177

Vildžiūnas, Vladas — 165, 173

## ■ VIETOVĖS:


**California**

Los Angeles — 64, 70, 114, 173

San Bernardino — 153, 161

**Connecticut**

Hartford — 105, 189

New Britain — 90, 193

North Branford — 172

Putnam — 14, 64, 81, 142, 143, 172, 177, 209

Thompson — 145

Waterbury — 96, 212

Wilton — 170

**District of Columbia**

Washington — 13, 56, 124

**Florida**

St. Petersburg — 65

**Illinois**

Cary — 195

Chicago — 62, 63, 71, 72, 76, 77, 100, 118, 122, 138, 139, 144, 148, 174, 176, 177, 184, 187, 191, 203, 204, 205

Cicero — 92

East St. Louis — 115

Glenview — 174

Justice — 175, 191, 206, 207

Lemont — 63, 73, 74, 75, 172, 186, 191, 193, 195

Plainfield — 174

Skokie — 174

**Maine**

Kennebunk — 146, 171, 193

**Maryland**

Baltimore — 62, 78, 88, 89, 190

**Massachusetts**

Boston — 62, 79, 102

Brockton — 141

Lawrence — 211

Worcester — 99

**Michigan**

Custer — 153, 160

Grand Rapids — 104, 192, 211

Manchester — 152, 156, 157

Southfield (Detroit) — 65, 128

**New Jersey**

Elizabeth — 103

East Hanover — 169

Colonia — 169

North Arlington — 168

**New York**

Amsterdam — 210

Brooklyn — 93, 185, 190

Manhattan — 12, 15

Maspeth — 121

**Ohio**

Chardon — 208

Cleveland — 63, 116, 188

Dayton — 126, 176, 192

**Oregon**

Portland — 194

**Pennsylvania**

Mahanoy City — 94

Maizeville — 127

Minersville — 213

Philadelphia — 64, 79, 91, 190

Pittsburgh — 64, 79, 80, 140, 213

Scranton — 97, 192, 213

Shenandoah — 95

Wilkes-Barre — 106

**Rhode Island**

Providence — 98

**Texas**

Houston — 195

**Vermont**

Brattleboro — 153, 158, 159

**Washington**

Issaquah — 195

# Index

## ■ OBJECTS:


All Souls Cemetery, Chardon, OH — 208

American Lithuanian Club, St. Petersburg, FL — 69

American Lithuanian Cultural Archives, Putnam, CT — 68, 81

Annunciation of the Blessed Virgin Mary Church, Brooklyn, NY — 93

*"Ateitis"* Lithuanian Center, Lemont, IL — 67, 74, 191, 193

Balzekas Museum of Lithuanian Culture, Chicago, IL — 66, 76

Blessed Jurgis Matulaitis Church, Lemont, IL — 75

Church of the Transfiguration, Maspeth, NY — 120

Dainava youth camp, Manchester, MI — 154, 156, 157

Darius and Girėnas monument, Brooklyn, NY — 185

Darius and Girėnas monument, Chicago, IL — 184

Holy Cross Church, Chicago, IL — 100

Holy Cross Church, Dayton, OH — 126, 192

Holy Cross Hospital, Chicago, IL — 139

Holy Trinity Church, Hartford, CT — 105

Holy Trinity Church, Wilkes-Barre, PA — 106

Immaculate Conception Church, Chicago, IL — 122

Immaculate Conception Church, East St. Louis, IL — 115

Lithuanian Cemetery, Waterbury, CT — 212

Lithuanian Citizen's Club, Boston, MA — 66, 79

Lithuanian classroom, University of Pittsburgh, Pittsburgh, PA — 80

Lithuanian Cultural Gardens, Cleveland, OH — 188

Lithuanian Embassy in the USA, Washington, DC — 56

Lithuanian Hall, Baltimore, MD — 66, 78

Lithuanian Hall, Pittsburgh, PA — 68, 79

Lithuanian Museum of Art, Lemont, IL — 73

Lithuanian Music Hall, Philadelphia, PA — 68, 79

Lithuanian National Cemetery, Justice, IL — 191, 206, 207

Lithuanian National Cemetery, Lawrence, MA — 211

Lithuanian World Center, Lemont, IL — 67, 74, 186, 191

Maria High School Chicago, IL — 139

Marianapolis Prep-school, Thompson, CT — 145

Marians of the Immaculate Conception (Marians), Chicago, IL — 136, 144

Matulaitis Nursing Home, Putnam, CT — 143

Nativity of Blessed Virgin Mary Church, Chicago, IL — 118

Neringa youth camp, Brattleboro, VT — 155, 158, 159

Order of Friars Minor (Franciscans), Kennebunk, ME — 136, 146, 193

Our Lady of Perpetual Help Church, Cleveland, OH — 116

Our Lady of Perpetual Help parish, Lithuanian Center, Cleveland, OH — 67

Our Lady of Šiluva Chapel, Washington, DC — 124

Our Lady of Šiluva Church, Maizeville, IL — 127

Providence of God Church, Southfield, MI — 128

Providence of God parish Cultural Center, Southfield, MI — 69

Rakas scout camp, Custer, MI — 155, 160

Rambynas scout camp, San Bernardino, CA — 155, 161

Sisters of Jesus Crucified and the Sorrowful Mother convent, Brockton, MA — 136, 141

Sisters of Saint Francis of the Providence of God convent, Pittsburgh, PA — 135, 140

Sisters of St. Casimir convent, Chicago, IL – 135, 138

Sisters of the Immaculate Conception (Sisters of the Poor), Putnam, CT — 136, 142

Sisters of the Immaculate Conception cemetery, Putnam, CT — 209

Society of Jesus (Jesuits), Chicago, IL — 137, 148, 191

St. Alphonsus Church, Baltimore, MD — 88, 89

St. Andrews Church, New Britain, CT — 90, 193

St. Andrews Church, Philadelphia, PA — 91

St. Anthony Church, Cicero, IL — 92

St. Casimir Cemetery, Amsterdam, NY — 210

St. Casimir Cemetery, Chicago, IL — 187, 203, 204, 205

St. Casimir Cemetery, Pittsburgh, PA — 213

St. Casimir Church, Los Angeles, CA — 114

St. Casimir Church, Philadelphia, PA — 190

St. Casimir Church, Providence, RI — 98

St. Casimir Church, Worcester, MA — 99

St. Casimir parish Cultural Center, Los Angeles, CA — 68

St. Francis parish cemetery, Minersville, PA — 213

St. George Church, Shenandoah, PA — 95

St. Joseph Cemetery, Scranton, PA — 213

St. Joseph Church, Mahanoy City, PA — 94

St. Joseph Church, Scranton, PA — 97, 192

St. Joseph Church, Waterbury, CT — 96

St. Peter Church, Boston, MA — 102

Sts. Peter and Paul Church Cemetery, Grand Rapids, MI — 192, 211

Sts. Peter and Paul Church, Elizabeth, NJ — 103

Sts. Peter and Paul Church, Grand Rapids, MI- 104

Youth Center, Chicago, IL — 67, 77

## ■ ARCHITECTS AND ARTISTS

Aleksa, Petras — 149

Ambrozaitis, Joseph, — 189

Augaitis, Simas — 189, 212

Daugvila, Jurgis — 129, 192

Elskus, Albinas — 124, 166, 168, 169

Grintalis, Algimantas — 190

Helser, Lee — 195

Jonynas, Vytautas K. — 99, 115, 119, 120, 121, 124, 125, 127, 128, 129, 143, 146, 166, 170, 171, 210

Kašuba, Vytautas — 14, 125, 143, 166, 172

Kersnauskas, Eduardas — 116

Knasas, John — 195

Koncevičius, V. — 184

Kova-Kovalskis, Jonas — 113, 144, 148

Krikščiukaitis, Kazys — 113

Kudokas, Stasys — 113, 116

Kulpa-Kulpavičius, Alfonsas — 113, 128, 209

Kurauskas, Algirdas — 204

Marčiulionienė, Eleonora — 73, 149

Marčiulionis, Aleksandras — 120

Mercedes, sister Marija — 119

Mozoliauskas, Ramojus — 116, 117, 167, 174, 175, 186, 187, 203, 204, 205, 206, 207

Mulokas, Jonas — 77, 112, 115, 118, 120, 126, 146, 194

Mulokas, Rimas — 77, 205

Narušis, Bernardas — 195

Poskočimas — 193

Valeška, Adolfas — 75, 126, 167, 176

Varnelis, Kazys — 142, 149, 167, 177

Vildžiūnas, Vladas — 167, 173

## ■ LOCATIONS:


**California**

Los Angeles — 68, 70, 114, 173

San Bernardino — 155, 161

**Connecticut**

Hartford — 105, 189

New Britain — 90, 193

North Branford — 172

Putnam — 14, 68, 81, 142, 143, 172, 177, 209

Thompson — 145

Waterbury — 96, 212

Wilton — 170

**District of Columbia**

Washington — 13, 56, 124

**Florida**

St. Petersburg — 69

**Illinois**

Cary — 195

Cicero — 92

Chicago — 66, 67, 71, 72, 76, 77, 100, 118, 122, 138, 139, 144, 148, 174, 176, 177, 184, 187, 191, 203, 204, 205

East St. Louis — 115

Glenview — 174

Justice — 175, 191, 206, 207

Lemont — 67, 73, 74, 75, 172, 186, 191, 193, 195

Plainfield — 174

Skokie — 174

**Maine**

Kennebunk — 146, 171, 193

**Maryland**

Baltimore — 66, 78, 88, 89, 190

**Massachusetts**

Boston — 66, 79, 102

Brockton — 141

Lawrence — 211

Worcester — 99

**Michigan**

Custer — 155, 160

Grand Rapids — 104, 192, 211

Manchester — 154, 156, 157

Southfield (Detroit) — 69, 128

**New Jersey**

Elizabeth — 103

East Hanover — 169

Colonia — 169

North Arlington — 168

**New York**

Amsterdam — 210

Brooklyn — 93, 185, 190

Manhattan — 12, 15

Maspeth — 121

**Ohio**

Chardon — 208

Cleveland — 67, 116, 188

Dayton — 126, 176, 192

**Oregon**

Portland — 194

**Pennsylvania**

Mahanoy City — 94

Maizeville — 127

Minersville — 213

Philadelphia — 68, 79, 91, 190

Pittsburgh — 68, 79, 80, 140, 213

Scranton — 97, 192, 213

Shenandoah — 95

Wilkes-Barre — 106

**Rhode Island**

Providence — 98

**Texas**

Houston — 195

**Vermont**

Brattleboro — 154, 158, 159

**Washington**

Issaquah — 195

## Literatūros Šaltiniai

Norintiems daugiau susipažinti su Amerikos lietuvių kultūriniu palikimu, jų gyvenimu ir istorija, čia yra pateikti kai kurie svarbesni literatūros šaltiniai.


Andriušytė-Žukienė, Rasa, *Akistatos - Dailininkas Vytautas Kazimieras Jonynas pasaulio meno keliuose.* Lietuvos dailės muziejus, Vilnius 2007.

Būtėnas, Vladas, *Pennsylvanijos angliakasių Lietuva.* Lithuanian Library Press, Inc., Chicago, Illinois, 1977.

*Jaunimo Centrui 50,* 1957 -2007. Chicago, Illinois, 2007

Kezys , Algimantas, *Palikę Tėviškės Namus - Šv. Kazimiero lietuvių kapinės Čikagoje.* Lietuvių Foto archyvas, Chicago, Illinois, 1976.

Kučas, Antanas, Dr. (red.), *Amerikos lietuvių istorija.* Lietuviu enciklopedijos leidykla, So. Boston, Massachusetts, 1971.

Kučas, Antanas, Dr., *Shenandoah, Lietuvių Šv. Jurgio parapija.* Išleido Švento Jurgio parapija, Brooklyn, New York, 1968.

Richardson, Milda R. "Amerikos lietuvių kryžiai ir koplytėlės" ("Lithuanian-American Wayside Shrines"), *Etninė kultūra ir tapatumo išraiška (Ethnic Culture and Expression of Identity),* Irena R. Merkienė, ed. (Vilnius, Lithuania: Institute of Lithuanian History, 1999): 260-276.

Miglinienė, Skirmantė, *Šv. Kazimiero lietuvių kapinėms 100 metų.* Lithuanian Research and Studies Center, Chicago, Illinois, 2007

Škiudaitė, Audronė Viktorija, *Lietuvių pėdsakai Amerikoje.* JAV Lietuvių Bendroumenės Kultūros taryba, Vilnius, 2006.

Vasaris, Beatričė Kleizaitė, *Lietuvių dailininkų darbai Šiaurės Amerikos šventovėse.* Kauno Arkivyskupijos muziejus, Vilnius 2004.

## References

For those who wish to learn more about the Lithuanian cultural legacy in America, their life and history, listed here is a selcetion of the more important bibliography.

Alilunas, Leo J. editor. *Lithuanians in the United States: Selected Studies.* San Francisco, CA: R&E Research Associates, Inc., 1978.

Eidintas, Alfonsas. Translated by Thomas A. Michalski. *Lithuanian Emigration to the United States, 1868-1950.* Vilnius, Lithuania: Mokslo ir enciklopedijų leidybos institutas, 2005.

Fainhauz, David. *Lithuanians in the USA: Aspects of Ethnic Identity.* Chicago, IL: Lithuanian Library Press, Inc., 1991.

Glassie, Henry. *The Spirit of Folk Art.* New York: Harry N. Abrams, Inc., Publishers, 1989, 24-31.

Kezys, Algimantas. *Lithuanian Artists in North America, Vol. 2.* Stickney, Illinois: Galerija, 1994.

Kučas, Antanas. Translated by Joseph Boley. *Lithuanians in America.* Boston, MA: Encyclopedia Lituanica, 1975.

Kučas, Antanas, Dr., *St. George's Parish Shenandoah, PA.* Published by St. George's parish, Brooklyn, New York, 1968.

Kuzmickaitė, Daiva Kristina. *Between Two Worlds: Recent Lithuanian Immigrants in Chicago (1988-2000).* Vilnius, Lithuania: Versus Aureus, 2003.

*The Lithuanians in America 1651-1975: A Chronology and Fact Book.* Compiled and edited by Algirdas M. Budreckis. Dobbs Ferry, NY: Oceana Publications, Inc., 1976.

Richardson, Milda B., *The Metamorphosis of the Lithuanian Wayside Shrine 1850-1990.* Ph.D. thesis, Boston University, 2003.

Richardson, Milda B. *Reverence and Resistance in Lithuanian Wayside Shrines,* Perspectives In Vernacular Architecture X, Alison K. Hoagland and Kenneth A. Breisch, eds., The University of Tennessee Press, 2005: 468-508.

Richardson, Milda B. *Juozas Jakstas: A Lithuanian Carver Confronts the Venerable Oak.* LITUANUS, Vol. 47: 2 (Summer 2001): 19-53.

Saldukas, Linas. Translated by Vijolė Arbas. *Lithuanian Diaspora.* Vilnius, Lithuania: Vaga, 2002.

Van Reenan, Antanas J. *Lithuanian Diaspora: Königsberg to Chicago.* Lanham, MD: University Press of America, Inc., 1990.

Wolkovich-Valkavičius, William. *Lithuanian Religious Life in America,* v. I- 1991; v. II – 1996; v. III – 1998.

www.lithuanian-american.org

ISBN-13: 978-0-615-26575-9

Printed in USA • April 2009